방송인 유한권 회고령 시낭송가 시화집

詩 시향 香

날개를 달다

https://youtu.be/dFT7hjEWO7E?si=IA1qYqjs721i9Bn

시향 날개를 달다

발 행 | 2024년 4월 11일
저 자 | 유한권
펴낸이 | 한건희
펴낸곳 | 주식회사 부크크
출판사등록 | 2014.07.15.(제2014-16호)
주 소 | 서울특별시 금천구 가산디지털1로 119 SK트윈타워 A동 305호
전 화 | 1670-8316
이메일 | info@bookk.co.kr

ISBN | 979-11-410-8024-2

www.bookk.co.kr

詩시향香

날개를 달다

현웅 유한권 지음

저자 현웅 유한권

황해도 평산군 상월면 출생
연백군 봉서초등학교
인천중학교, 제물포고등학교 졸업
고려대학교(경제학)졸업, 성균관대 유학대학원수료.
섬유무역회사 (주)미도실크 대표이사 사장
통일부 통일교육위원 부회장. 한국NGO지도자포럼 회장,
KTV 국민기자, 열린사회자원봉사연합 고문
한국문인협회 정회원. (사)한국문학협회 이사
1997년12월 통상산업부장관 공로표창장 (제41148호)
1998년10월 중소기업청장 공로표창장 (제826호)
2000년 2월 성균관대학교 총장 공로표창장 수상
2000년 8월 경희대학교NGO대학원장 공로표창장 수상
2003년 7월 여성부장관 공로표창장 수상(제85호)
2006년 12월 통일부장관 공로표창장 수상(제14595)
2006년 12월 푸른병원(서초)병원장 자원봉사 감사패
2007년 8월 대한노인회장 자원봉사표창장(제07-101호)
2017년 3월 KTV한국정책방송원 최우수 국민리포터상
2023년 11월 제16회 전국 시 낭송대회 '대상' 수상
2023년 11월 서울 서초구청장 자원봉사 표창장
2024년 3월 (사)관악공동체라디오(FM방송)
'행복한 라디오 쾌지나청춘 진행' 10년 감사패

*저서 : 詩香 찾아 三千里(2022년),
幸福으로 가는 秘密通路(2023년)
詩香, 날개를 달다(2024년)

CONTENT

제2화 행복으로 가는 비밀통로

제3화 시향 날개를 달다

1.시 낭송대회 심사 후기
2.중중무진 연기의 홀로그램(시평)
3.노년의 삶과 인연
4.어떤 혈투
5.'맹골수로' 취재 일기

*부록 (영상 자료)

1.3.1 운동에서 판문점까지
2.12 지신의 숨은 이야기
3.오래도록 기억되는 영상 모음

*작가의 끝말

머리말

"詩香, 날아오르다"는 "幸福으로 가는 秘密通路" "詩香 찾아 三千里" 후속 편으로 3번째 출간하는 이 세상에 하나 밖에 없는 Story-Poem 시화집 (詩話集)입니다. 스마트폰 컴퓨터를 이용 URL 주소 또는 QR코드 찍으시면 눈과 귀와 가슴으로 현실 감각을 느낄 수 있습니다.

특히 "詩香, 날아오르다"는 최고령 시낭송가 현웅 유한권(86세)이 상노년에 제16회 전국 시 낭송대회 출전 하여 '대상'을 수상 한 기념으로 선보이는 또 다른 의미가 있습니다.

늙어 간다는 것은 누구도 막을 수 없는 자연현상입니다. 잔인한 세월의 노예가 돼 버린 늙음을 누구에게 탓 할 수 있겠습니까? 후 ~ 허나 "성장해 가는 노인은, 죽어가는 젊은이보다 낫다"는 말도 있죠. 100세 시대를 꿈꾸는 노인들은 너나없이 좀 더 보람 있는 일이 없을까 하여 온갖 지혜를 동원 해 여기저기 기웃 거리기도 하는데요. . .

생존경쟁 진흙탕 속에서 겁도 없이 뛰고 넘어지고 웃고 울던 젊은 날을 돌이켜 보면. . 수많은 시행착오를 거치면서도 그래도 행복이라는 목표를 향해 꾸준히 뛰어 왔네요. 이 글을 쓰기 시작한 과정이기도 합니다.

그렇습니다. 알고 보면 노후행복을 책임 질 사람은 나 이외 아무도 없더군요. 그런 의미에서도 85세 역대 최고령 "시 낭송킹"이 된 기념으로 엮은 이 작은 책을 통해 노년기 삶을 준비하는 분들에게 조금이라도 도움이 되었으면 더 이상 바랄게 없겠습니다. 감사합니다.

2024. 5. 8.
저자 현웅 유 한 권 씀

제1화 시향 찾아 삼천리

유, 유유히 지구를 돌아 흘러넘치는
한, 한강수 맑은 물에 배 띄워 놓고
권, 권력은 없어도 사철가로 세월을 달래본다.

1.詩香 그리고 날개

내가 시를 사랑하는 이유는
감동이 숨 쉬고 아름다움이
잠들어 있다는 이욥니다.

노을 빛 시향 길에 울고 웃으며
시를 짝사랑 하게 된 이유도
작은 기쁨을 쌓고 싶었던 겁니다.

매일 시를 쓰고 암송하며
치매도 방지하기 위함 이었지만
목표가 있고 할 일이 있다는 겁니다

시 낭송을 더 사랑 하게 된 것은
노후 새로운 친구들을 만나
애뜻한 삶을 찾아 갈수 있다는 거

노년에도 상 노년에도 시인처럼
해와 달과 별을 향해 시를 삼키며
들국화처럼 훨훨 날고 싶은 겁니다.

https://youtu.be/H3qh0E3IhYY (시가 좋아)

https://youtu.be/eIJDdF90-rg?si=Ws4tgtIjt03hAjLT(엄마가. .)

2.갈 곳을 찾다

내 어렸을 땐
보이는 것마다
입에 넣으려 울부짖었다네.

내 젊었을 땐
보이는 것마다
끌어 모으느라 몸부림쳤고.

내 노년기 땐
보이는 것마다
어떻게 버릴지 고민을 했지만.

내 상노인 됐을 땐
보이는 곳마다
이 몸 동아리 쉴 곳을 찾았고.

내 나이 깜박 잊을 땐
그 땐, 밤하늘 쳐다보며
큰 별 빛 한줄기 잡고 웃겠지 뭐.

3.1운동

https://youtu.be/JVzrgSsQZLg (늙어가는 길)

3.어쩌다 태어난 세상

여기가 어디지?
지구촌에 태어나던 그 옛날
그래, 기왕에 찾아온 세상

사람답게 살다
아름답게 늙어
인간답게 죽자 중얼거렸지

생존경쟁 진흙탕 속 도전하다
어느새 늙고 나니 그 인생길
수정할 수 없는 허망한 순간인 걸

아직도 불타는 희미한 사랑
못다 한 아쉬움 그 이야기 몰래
쓴웃음 대신 행복하나 품고 떠나야겠네.

호랑이띠

4.입춘대길

입춘,
아직은 어중간 하다

안녕이라 말도 못하고
봄을 훔쳐보다
매서운 꽃샘추위에
사시나무 춤추는 몸

아직은 갈 길이 있음에도
따뜻한 남쪽으로
발길을 옮기다 흠 찍 놀란다.

어쩔 수 없이 주저앉아
홍매화 그리움에 취해
꿈속에 그려보는 사랑이었다네.

할미꽃
https://www.ktv.go.kr/news/latest/view?content_id=520999

5.신기루 행복

이름 없는 작은 풀꽃도
꿀벌 한 마리 짝사랑 하면서
살맛을 느낄 때가 있다네.

봄, 어쩌면 신기루 닮은
사랑 한 단어 찾아
끝없이 헤매는지도 모른다네.

한 사람을 만나 따뜻한 정주고
단 한순간 뜨거운 사랑 나누며
또 기다리며 행복 따라간다네.

하루를 살고 한 달을 참고
일 년을 헐레벌떡 쫒으며
한평생 그 행복 찾아 헤맨다네.

열대작물

6.찾아 온 봄빛

여명이 밝아오는 창살 틈
스산한 바람타고 온 봄빛
고운사랑 한줄기 너무 반갑다

상큼한 새벽 공기
냉수 한 그릇 들이키듯
어느새 한 줄기 봄빛을 마신다

눈꽃 진 겨울나무
졸고 있던 까치가
목청 돋으며 기지개 필 때 쯤

곧 닥칠 나들이 행렬
여의도 벚꽃 축제를 비쳐보면
눈밭 걷는 꽃의 여신이 웃는다

7..어쩌겠어요

화려했던 젊음 시절
그저 숨 막히도록 뛰었건만
무심한 세월 속에 다 묻혀버리고

가끔 잠을 설칠 때면
꽃피우던 그 추억 불러
헛웃음 지으며 거울에 물어 본다네.

어느 순간
어머니가 보이거들랑
초저녁 보름달 쳐다보며
손수건에 눈물을 적시기도 하고.

가끔 몰래한 첫사랑이
슬며시 얼룩이 질 때면
뒷동산 빨간 장미꽃을 찾아가
사랑 했노라 중얼거리기도 하고.

불쑥 옛 친구 누군가
만나보고 싶거들랑
강물에 떠도는 물고기 떼 불러
그 이름 부르며 물끄러미 웃어본다오.

그러다 아버지 모습이
갑자기 구름 사이에 떠오르면
이글이글 떠오르는 태양을 기다려
아버지~ 부르며 눈시울도 적신다네.

하지만 어쩌겠어요.
번갯불 스치듯 흘러간 젊음
다시 찾아오지 않는 다는 걸
늙어서 느끼다니 참 부끄럽구려.

8.눈이 좋던 날

굵은 봄눈이 펄펄 내린다.
숨바꼭질 하는 얼룩강아지
온 동네 뒷골목 휘 집고 다닌다.

눈 속을 걷는 저 나그네도
등 뒤에 누군가 살며시 찾아와
우산을 받쳐 주던 먼 그리운 날

산에도 들에도 천사들의
노래 소리 아련히 들리는
함박눈 쏟아지는 날이 좋다

나비 밥그릇에
백설이 수북하게 담기고
골목길에 하얀 카펫이 깔리면

우산도 없이 옆 집 영희 불러내
뒷동산 오솔길 두 발자국 새기던
그 때부터 눈을 더 좋아 했나보다.

https://www.ktv.go.kr/news/latest/view?content_id=548457
칠갑산 알프스

https://youtu.be/CmIREXQANeQ?si=kqAaphU7Q5tY9Gwl
(그립다)

9.봄의 환상

청룡 꿈 한번 제대로
꾸어보지 못한 긴 겨울밤
그래도 봄은 다시 오겠죠?

울다 웃다 뒤 척 뒤 척
깨어나 보니 몰래 찾아 온
상큼한 봄 냄새 반갑다

겨우내 아름답던 눈꽃 길엔
다시 사랑스런 봄꽃이
곱게 피어나길 꿈꾸며

대보름 밤 모두모여
모닥불 축제 즐겨 보자군아
봄을 부르는 희망의 노래 피어난다.

10. 옥상 터밭

여명黎明이
기지개 피는 파란 하늘

벌 나비 날아들기 전
쪼그려 앉아 숨결을 마신다.

샛별 하나 나 하나 새싹 둘
마주한 엷은 순간의 미소
영롱한 새벽의 눈빛이 열린다.

바지런한 참새 부부 찾아와
알 듯 모를 듯 종알종알
함께 놀자며 시비를 건넨다.

아침 햇살 입에 물고 반기던
까치 한 마리 까악 깍 깍
오늘은 심통이 치솟나 보다.

물똥 찍
뿌리고 멀리 날아간다.

세상의 모든 사랑은
핏빛 단색丹色이라 했던가.

그래 알았다
내일 아침 다시보자.

https://youtu.be/CmIREXQANeQ?si=rAFeNGzWyLZA1Vff
(춘풍)

11.순간의 시간

강물에 뜬 달을 보았느냐
사랑도 미움도 찰랑찰랑
기쁨도 슬픔도 한 순간인걸

별들은 하나둘씩 떠났어도
둥근달은 잔물결 헤치며
여태껏 하얀 웃음 흩날린다.

비가 오나 바람이 부나
해가 지니 달도 별도 뜨고
꽃 피는 듯 고개 숙이고

그렇게 눈부신 오방색 춤추고
어울려 숨 쉬다 가는 세상인데
어찌 나 아름답다 하지 않겠는가.

자연의 본능으로 회귀하는 날
모두 다 사랑했다는 말 한마디
나 하늘 우러러 꼭 남기고 싶다

**오방색 : 黑(흑)白(백)赤(적)靑(청)黃(황)*

https://www.ktv.go.kr/news/latest/view?content_id=536834
수중점검선

12.새해 새벽길

간밤에 재롱둥이 토끼가
산 넘어 고개 넘어
꼬리를 감추고 떠나 버렸다

어제 걷던 비탈길은
새하얀 설원으로 카펫을 깔고
첫 발자국을 기다리고 있나니

동해 바다 높은 파도 뚫고
하늘 높이 승천하는
저 푸른 용을 두 팔 벌려 마중하련다.

처음부터
나 있는 길이 어디에 있으랴
우리 함께 새 길을 만들며 뛰어 가리니

먼데 종소리 크게 울려라
어둠을 헤친 붉은 해 빙그레 웃으면
비로소 용트림의 장엄한 궤적을 찍으리라.

용띠 새해

https://www.ktv.go.kr/program/home/PG2150012D/content/692846

13. 초겨울

오늘 깨어난
싸늘한 새벽 공기
신비스런 기적의 초겨울

어스름 고운 여명 빛이
도봉산 사이 길을 넘어
자작자작 시내로 스며든다.

아직 깊은 잠에 빠져있는
가로등 없는 암흑의 뒷골목
도둑고양이 뛰어간 돌담길 돌아

늙은 소나무 가지에 앉아
첫 눈을 기다리는 저 학처럼

올겨울 첫 눈 내리면
첫 사랑 찾아
나 어디 떠나볼까?

14.꽃 그림

사는 기쁨을 찾아가자고
용꿈 닮은 희망을 나누며
행복을 속삭이던 달콤한 추억

언젠가 말없이 떠나간 그리움
여우꼬리 닮은 이야기만 남아
지울 수 없는 상처로 숨어있다네.

어느 하늘아래 별을 헤고 있을까
눈 감으면 가끔 생각나는 꽃님
눈물을 흘리는 날도 있었다네.

철부지적 사랑의 불장난
세월이 흘러도 꺼지지 않는 그리움
마음구석에 새겨진 꽃그림이어라.

https://www.ktv.go.kr/content/view?content_id=449752

전통무용 그리고 백두산 호랑이

https://www.ktv.go.kr/program/home/PG2150012D/content/640409

15.어떤 날갯짓

나는 떠나간다.
새가 되어 날아간다.
광활한 하늘 높이 날아간다. ‘

숨 막히는 도심을 떠나
하나의 목표를 향해
하나의 소리가 되어 날아간다.

바람을 타고 구름을 뚫고
날개를 펄럭이며
에메랄드 파도 가로질러 날아간다.

먹구름이 깔리면
선녀처럼 웃음이 되고
뇌성번개 번쩍이면
천상에 악기가 되어 날아간다.

강치가 무리 지어 기다리는 곳
독도를 향해 날아 날아간다.
내 마음 싣고 훨훨 날아간다.

https://blog.naver.com/rokbigman/223231434193
(해)

https://youtu.be/XcTwQYbHBAM
(가을 끝자락)

16.봄 고양이

내 가슴속 깊은 곳에
숨바꼭질 웃고 있는
한 마리 새끼 고양이가 산다.

때로는 얄미운 고양이
언제부턴가 귀여운 고양이
먹이도 잘도 받아먹는다.

비둘기와 친구가 되고
먹이도 양보하는 선한눈빛
아름다운 봄 고양이가 논다

햇빛 고운 날 기어 나온 나비
비둘기 따라다니며 웃는다.
너 사춘기 사랑을 아는가 보다

남편이 달라졌어요
https://youtu.be/dFT7hjEWO7E

농부들의 가을걷이
https://youtu.be/hn5oEsevsxo?si=5008Si5_nsXUSAwR

17.설레는 마음

와,
되게 신난다.
나 사랑을 먹었나 봐.

밤새
할머니 구워주던 밤알
호호 불어 먹다 깨었다.

벌써
땀방울은 수증기 되어
눈송이 찾아 날아가고.

만산홍엽에
가을은 만삭이 되어
풍년가 소리 요란하다.

고엽(枯葉) 하나 달랑 남기고
무심히 떠나가신
할머니의 겨울밤 이야기

긴긴 밤새
실솔(蟋蟀)의 가냘픈 소리가
사무치게 그리움으로 전한다.

*실솔(蟋蟀) : 귀뚜라미

https://www.ktv.go.kr/content/view?content_id=464595
만학도

18.꿈 夢 꿈

용꿈
꿈을 꾸어라
큰 꿈을 꾸어라

심심풀이 개(犬)꿈과
어쩌다 꾸는 용(龍)꿈은 다르다네.

사람은 꿈 때문에 죽고
꿈 때문에 기적을 이룬다는데.

매일 꾸는 꿈은
꿈이 아니라 계획이야
현실이기 때문이라네.

새해에는
큰 꿈 마음먹고 꾸어 보세나.
밤낮으로 용꿈을 꾸어 봅시다.

기적이 따로 있나
꿈 夢 꿈이 바로 기적이지. .

한바탕 춤

https://blog.naver.com/rokbigman/222647878042
새해

19. 한가위 명절

쟁반 같은 슈퍼 문
대 보름 달을 쳐다보면
생각나는 얼굴이 먼저 웃는다.

온 가족모여 웃으면
온 가족이 행복 한 날
온 마을이 모이면
온 마을 강강술래 즐겁다

하늘에 떠있는
또 다른 영원한 나의 왕별
술잔을 받쳐 들고
향초 내 묻은 밝은 별을 쳐다본다.

송편 빚는 엄니가 보이면
아버지가 달려오고
과일 씻는 할머니가 웃으면
할아버지가 따라 웃는다.

그립다, 보고 싶다
화롯불 같은 그 사랑 어디에 있을까

눈이 번뜩인다. 먼저 생각나는 사람
멀리 그리워지는 고향
청주한잔 또 따르며 생각을 지핀다.

20.고향의 소리

소슬바람 속삭이는
저 소리 들리는가.
엄청 그리운 소리를
벌써 나는 훨훨 날아가고 있다.

툭 둑 투다 닥
장독대에 떨어지는 밤알
언뜻 알프스 산속 마을의
불꽃놀이 같은 환상을 그린다.

하염없이
지금 날아가고 있구나.
그곳에 깃든 따끈한 그림자를
지워 지워보려 하지만 들리는 소리

할머니 쪼그라든 사랑 손에
화롯가 알밤 튀는 소리를
마치 베토벤의 느린 교향곡의
어느 악장을 겹쳐 듣는 것처럼

산골아이 귀의 눈은
초겨울 달빛 고운 뒷동산 숲
새끼호랑이 울음 같은 소리를
자꾸만 그때 그리움을 들여다본다.

새끼 호랑이
https://www.ktv.go.kr/program/home/PG2150012D/content/640409

21.우리네 삶

너 나 그
모든 마음은
하나입니다.

뜻은 다 이루지 못했지만
내 인생 다 걸고 살아온
이 세상이 반갑다고.

유니크한 부모님,
아이러브 아내
진주알 같은 가족

정 주고 10년
사랑 그리고 50년,
여기 행복이 함께 웃고 있네요.

너 나 우리
행복으로 가는 길은
앞으로도 계속 된다고.

세상 끝까지
그리 사랑 할래요
영혼까지 행복한 삶이였다고.

https://www.ktv.go.kr/content/view?content_id=449752
고향의 소리

22.밤 열두시 정각

사랑이 춤추는
비 오는 날 밤

드르렁 드렁 코고는 남편
쌔근쌔근 잠자는 여편

풀무질하는 소리
피리 부는 소리
괘종시계 째각 째각
밤 열두시를 알린다.

도깨비 놀다간 밤
이승과 저승 같지만
행복한 가정의 행진곡이라네.

https://youtu.be/eIJDdF90-rg?si=-hm5C4LhQg1fsQJM
엄마가 휴가를 나온다면. .(정채봉 시 유한권 낭송)

https://www.ktv.go.kr/program/home/PG2150012D/content/620132
대서양 연어 동해양식장

23.겨울 빛 잔치

하늘하늘
반짝이는 겨울 빛
그때 그 하얀 눈이 내린다.

산과 들과 바다에
못 잊어 흩뿌려지는 영혼들
아니 깃털 같은 순백의 언어들

먼 듯 아련히 들려오는
옛 님의 애잔한 목소리
함께 부르던 사랑의 노래다

아우라를 춤추게 하는
첫사랑의 그 축제장
순수한 사랑은 늘 아름답더라.

https://www.ktv.go.kr/content/view?content_id=477309
눈꽃 축제

https://www.ktv.go.kr/content/view?content_id=461899
활쏘기 대회

24. 소확행

애들아~
저기 보거라 ~

황금빛 긴 모래밭에
넘실거리는 하얀 파도 넘어
빨간 불덩이 크게 미소 짓는다.

구수한 된장 국물
그득한 호박잎 건더기
살코기 한 점 없어도 좋지만

새 콤 달콤
생미역 무침 한 접시
듬뿍 고추장 찍은 매콤한 풋고추

시장기 동하는 한 순갈의 기적
아침밥 한 사발 후다닥
어른아이 모두 소.확.행 순간이다.

https://youtu.be/cBGZfpggX6o?si=DqRtLW9Aru1oNevk
우리 땅 독도

25.어떤 그리움

태풍에 끊긴 뱃길
긴 암흑생활 십여 일
부서지는 파도소리에 잠도 설쳤다.

새벽까지 따라온 폭풍우
번갯불마저 겁을 주며
외로운 마음 초조하게 울리네.

오늘도 행복 찾아 당신께
달려가고 싶은 그리움은
사랑으로 곱게 포장 해 두었소.

햇살 빛나는 날 골라
숨겨둔 보따리 꺼내
그 사랑 꼭 껴안고 달려가리다.

https://www.ktv.go.kr/news/latest/view?content_id=521275
남극을 가다

26.지혜의 삶

눈을 뜨면
별빛 총 총
예쁜 것이 보이고

귀를 열면
아리랑 고개 넘어 태평가
즐거운 노래 가락 들린다네.

허나
생각을 닫으면
인생의 꽃길마저 막히지만

마음을 열면
희 노 애 락
하늘 길이 열린다네.

https://www.ktv.go.kr/content/view?content_id=472587
한글 사랑

https://www.ktv.go.kr/content/view?content_id=484717
공룡 서식지

27.파도에 스쳐간 그리움

파도소리 스쳐 날아가는
외 갈매기 울음소리에
깜짝 놀란 적이 있었다네.

챙 넓은 모자에
썬 글라스 쓴 그 녀가
어깨를 툭 치며 하는
속삭임인 줄 알았다네.

오늘 같은 시원한 여름날
작별 인사 한마디 없이
아주 쿨 하게 내 곁을 떠난 그녀

그녀를
더 아끼고 사랑하는
누군가를 만났을 거라 생각하지만

그저 그립다 사랑 한다
행복 할 거야 언제까지나
시공을 넘어 주고받는 밀어

이제 몽유병 환자마냥
외기러기 불러
중얼 거리며 걷고 있다네.

28.통일을 위한 함성

반만년 유구한 역사 한반도
선진 자유대한민국 우리는
같은 땅 같은 혈통 하납니다.

6.25전쟁을
피로 막아낸 용사들의 숭고한 희생
애국애족 불굴의 정신을 이어받아
통일대한민국을 꿈꾸며 뛰었습니다.

분단과 가난
갈등에 지친
눈물로 얼룩진 삼천리금수강산

갈라진 아픔과
고통을 애도하며
희망의 꽃을 피우자고 다짐합니다.

이제 지루했던
정전 70주년도 지났습니다.

평화통일을 위한 함성 크게 울려라.
분열과 대립의 구시대는 끝나고
남북이 손잡고 평화의 다리를 놓으리라.

백두산이 웃고
한라산이 춤추고
얼씨구나 7천만이
지구촌을 훨훨 나르리라.

https://www.ktv.go.kr/content/view?content_id=485654
분단의 상징 판문점

29.빗방울 하나

먹구름 속에
흰 구름 한 점
희끗 희끗 웃는다.

온다는 거냐.
안 온다는 거냐.

흰 구름 속에
먹구름 한 점
희쭉 희쭉 놀린다.

갠다는 거냐.
안 갠다는 거냐.

파란 하늘 쳐다보며
웃다 울다 또 잠이 든다.

https://www.ktv.go.kr/content/view?content_id=472587
두타연 비경

30.바닷가

햇살이 불붙는 바닷가
파도 부서져 모래밭을 적시고
비릿한 갯바람이 어깨를 스친다.

갈매기 떼 하늘 높이 날고
벌거숭이 아이들의 웃음소리
산과 바다가 맞닿은 해변을 누빈다.

꼬르륵
시장기 어루만진 손으로
불타는 모닥불에 올려놓은
김 서린 밥솥을 열어 입맛을 다진다.

자작자작 하얀 쌀밥이
드문드문 감자를 껴안고
노릇 노 릇 익어가는 구수한 냄새

햇살은 벌써
모래성을 쌓고 있는데
숲속 오아시스 그늘에 누워 코고는
나그네 꿈속엔 행복이 춤춘다.

https://www.ktv.go.kr/content/view?content_id=491853
꽃게 잡이

31.꿈꾸는 유기견

산짐승 잠자리 찾아 가는데
고향 형제 그리워
떠돌다 쓰러진 나그네 견(犬)

초저녁 산책 중에 따라온
별빛 속삭이는 싸늘한 밤
달빛 한 자락 덮고 흐느낀다.

꿈꾸다 부모형제 만나
잠꼬대 하는 바둑이
언제쯤 다시 만나 웃어 볼까

천만 애완동물 서울 대도시에
버림받는 유기견의 슬픈 하루
달빛처럼 해맑은 추억이 그립단다.

https://blog.naver.com/rokbigman/222647878042
애완견의 시대

https://www.ktv.go.kr/program/home/PG2150012D/content/597892
황새 고장 예산

32. 인생길

새벽녘 삶의 첫날인 것처럼
몰래 따라오는 사랑의 소리
알고도 속고 모르고도 속고
고된 지구촌의 피로를 씻어 내린다.

그렇게 알고도 꽃피우고
저렇게 모르고도 사랑하며
휘파람 소리에 인생을 속삭일 때면
어느새 미지의 삶에 탄성이 터진다.

어쩌면 당신이라는 사랑이
내 삶의 첫날이자 끝 날처럼
울기도 웃기도 하는 오솔길
그것이 곱디고운 하루 삶이라는 걸

깜짝 스치는 이 순간
광활한 우주 품에 반짝이는
쌍둥이별이 되어 유영하고 있다는 것도
나는 정말 늙어 가면서야 알았다네.

https://www.ktv.go.kr/content/view?content_id=491853
충무공 장검

https://www.ktv.go.kr/content/view?content_id=491853
전어 꽃게 철

33.세상살이 德이야

예고는커녕 시도 때도 없이
눈보라 휘몰아치는 세상
어른아이 할 것 없이
끔찍한 회초리를 들이 댄다

오히려
나약 한 삶을
더 처참하게 짓밟는다.

허나 때론 봄비 불러
메마른 땅을 촉촉이 적셔 주고
웅덩이를 찾아 찰랑찰랑 채우고
목마른 꽃나무 뿌리를 쓰담 기도 한다.

불볕더위는 어쩌랴
가뭄과 폭우, 벼락과 홍수, 태풍과 한파,
인생을 영글게 하는 혹독한 시련도
그런 삶의 의미는 죽음이 있기 때문이다.

어쩌다 황금들녘 펼쳐
풍성한 열매향기 가득 안겨주면
행복하나 매달려 삼백예순날 헤맨다.
하여 세상살이 덕德잔치라 했나 보다.

*孟子曰 : 인(仁)·의(義)·예(禮)·지(智)의 德性이다”

https://www.ktv.go.kr/content/view?content_id=476767
빙벽 타기

34.묻 거 들 랑

이승에 여행 달려와
어떻게 살았느냐고 묻거들랑
나 이렇게 말 하리오

토끼처럼 뛰어 놀고
꾀꼬리처럼 지저귀며
오대양 육대주 구름타고 날으며
손오공이 되었었다가

청춘의 푸르름 땐
옥구슬 꾀어 메고
사랑 찾아 행복 찾아
천국을 날았다고. .

노을빛 타오르는 이 고개에 서서는
황혼열차 기다리며
빼꾹 빼꾹 노래
하늘 길 열어주길 기다린다고

https://www.ktv.go.kr/content/view?content_id=489867
성지 순례

https://www.ktv.go.kr/content/view?content_id=519332
해저 탐험

35.기다리는 마음

봄 여름 가을 겨울
누에 뽕잎 갈아먹듯 세월만 축낸
때 묻은 달력도 달랑 한 장 남았다.

후회와 회한으로 점철된
지난 한 해 켜켜이 쌓인 먼지
거친 삶의 퇴적물을 뒤적거린다.

태양 솟아오르는 새아침
나는 우주인이 되어
마음은 벌써 새해로 달린다.

새해 벽두 급히 찾아온
까치부부가
갸우뚱 세배를 한다.

신비롭고 오묘한 우주의 세상
태양빛 떨어지는 자리 미리 골라
내 마음은 벌써 가부좌 틀고 앉는다.

https://www.ktv.go.kr/news/latest/view?content_id=547394
아약 수색견

36.모르고 떠나는 인생

별빛 한줄기잡고 달려온 나그네
왜 어디서 왔는지도 모르고
수억 만 리 먼 곳 찾아 왔다.

태양을 팔십 번 이상 감싸 돌고
제 홀로 삼만 번 넘게 뒹구는 지구별
그냥 저냥 따라 헤맨 수레바퀴 삶인 걸

엄니 불러 덜커덩 빈손으로 찾아와
벌거숭이 알몸으로 시작한 그 인생
언젠가 빈손으로 떠나야 하는 지구별

세상이 뭔지도 모르고 살았지만
그래도 아들 손자 며느리 부르면서
베옷 한 벌은 입고 출발한다 했지.

그렇지 텅 빈 채 시작한 머릿속엔
팔십 평생 이리저리 쓸어 모은
울음반 웃음반 얼기설기 채우고.

파란 하늘 하얀 조각구름처럼
알쏭달쏭 가슴 설레게 하는
행복 단어 밤새워 중얼거려 본다.

누가 무지개 빛 인생이라 하더냐
너도 나도 모두 다른 인생길
끝내 그길 더 묻지 말고 떠나야겠다,

https://www.ktv.go.kr/content/view?content_id=518999_
우주여행

37.황금빛 전설

노을빛 세월의 따뜻한 흔적
피어오르는 희 노 애 락
물레방아 휘감겨 돌아가는 인생사

돌담길 돌아 분이네 집
장독대 뒤에 숨어있는
너무나 깜찍한 술래잡기

할미꽃 보다 더 고은 추억
정자에 녹아든 옛날이야기
할아버지 담뱃대가 그립다.

삶의 물결 따라 다시 핀 전설
호랑이 담뱃대 빼어 물고
무지개 색감으로 다시 그리는 삶

세상 어디에도 없는 고향이야기
부르면 그 추억 먼저 달려드는
황금빛 추억에 활기를 더한다.

38.인생이 뭘꼬?

인생은 사랑이다
사랑을 빼면
허수아비 닮기 때문이다

인생은 운동이다
운동을 빼면
식물인간 닮기 때문이다

인생은 생각이다
생각을 빼면
조각인형 닮기 때문이다

인생은 시간이다
시간을 빼면
투명인간 닮기 때문이다.

인생은 여행이다
여행을 빼면
로봇인간 닮기 때문이다.

고로 인생은
사랑 운동 생각을 하며
희노애락 시간여행하는 우주인이란다.

https://www.ktv.go.kr/content/view?content_id=519717
개구리의 생활철학

https://www.ktv.go.kr/content/view?content_id=520269
식용 꽃

39.계절의 단맛

사랑의 단맛이 오른 계절은
어떻게 맞아도 맛이 있지만

가을 이야기가 길어지면
머릿속이 아득해질 수 있다네.

달랑 매달려 울고 있는
서리 맞은 단풍잎하나 애처롭지만
그나마 찬바람 멈춘 새파란 밤하늘

그렇다네.
첫사랑은 밤물결 따라 날고
황금색 별빛 전설이 흐른다네.

희 노 애 락 세월의 흔적을 찾아
따뜻한 색감으로
저 하늘화폭에 담는다면.

아, 그렇게만 된다면
정말 행복해질 거야

서미예 시낭송 콘서트 멤버

40. 그날 밤,

내일을 위한 오늘,
그렇게 재미있다.

내 발로 걷고
내 손으로 찾아 먹고
내 눈으로 당신을 보고

세상 입맛 펄펄 살려주는
건강이라는 사실이 너무 놀랍다

장미보다 붉은 사랑의 물결
그 열정을 어떻게 할지는
당신의 취향에 달렸지만 말이다.

그날 밤,
쇠퇴한 사랑이 다시 타올랐다

그렇게만
살아간다는 건 말이야

내 말년인생,
정말 행복해질 거야. .

웰다잉
https://www.ktv.go.kr/program/home/PG2150012D/content/592026
국악의 맥을 잇다

41.해 맞이 합장

앵두 빛 고운해가 솟는다.
다소곳이 두 손끝을 모아
빨간 햇덩이를 움켜잡는다.

시야를 넓이면
세상이 보이지만
사랑을 넓이면
행복이 찾아 든다 노래하네.

술잔을 잘 돌리면
인기는 높아지지만.
안목을 넓이면
재물까지 보이기 시작하고.

주먹을 잘 못쓰면
악명은 높아지지만
언행을 잘 쓰다듬으면
지혜가 발산 한다 속삭이고.

지식을 잘 살리면
품격이 쑥쑥 높아지지만
마음을 잘 수련하면
영혼까지 맑아진다 소곤대네.

새벽 물안개 뚫고 세상 밝히는
불타는 태양 응시하는 눈빛
파르르 빨간 입술 떨며 중얼거린다.

https://www.ktv.go.kr/content/view?content_id=469470
독립운동의 불씨 강화도

42.삶의 기쁨

멈출 수 없는 삶
행복이 따로 있나

내 손으로 글 쓰고
내 발로 달려가고
내 눈으로 너의 눈동자 보며.

함께 입 벌려
고운 소리 들려주며
노래 할 수 있다는 게 행복이지.

세월이 삶을 괴롭힌다 해도
너와 나의의 기쁨은
결코 빼앗기지 않을 거야.

https://blog.naver.com/rokbigman
유한권 선생의 젊음 비결

https://www.ktv.go.kr/content/view?content_id=493479
잊혀져 가는 주산

43.秘密 속 秘密

낮에 이루어진 비밀
밤에 이루어진 비밀

깜찍한 비밀
미련한 비밀

있어서는 안 될 비밀
없어서도 안 될 비밀

행복한 비밀
불행한 비밀

지상에서 빛나는 비밀
지하에서 빛나는 비밀

밝혀진 비밀
묻혀진 비밀

숨죽인 秘密 숨쉬는 秘密
언젠가는
寶石 같이 빤짝빤짝 빛난다네.

https://www.ktv.go.kr/news/latest/view?content_id=521275
남극의 비밀

44.깐부 할배

별무리 한마당 깔고
정월 대보름
흥겨운 큰 달빛잔치 요란하다.

숨 가삐 달려온 한세상 농익은
사철가 구슬픈 선율가락에
깐부 할배 따라나선
누렁이 컹컹 짓는 소리 정겹다.

질퍽거리는 목청 울림통 소리
마을 골목길 돌고 돌아
어느새 밤하늘에 가득 퍼지고

깐부 할배 주름진 얼굴엔
허기졌던 삶 애석타 할까마는
머뭇거리다 터진 환한 웃음소리
고향열차 찾아가는 기적소리 빼 닮았다.

https://www.ktv.go.kr/content/view?content_id=568055_
딜쿠샤

45.생각하는 사람

지나온 팔십년 중 삼십년은
새싹을 키워주신 부모님 사랑이라면

이제, 조금 남은 세월이야
희망을 불태우는 손자손녀와
속삭이듯 사랑을 꿈꾸는 때겠지요.

그런데, 별빛이 하늘의 꽃이라면
마음의 꽃은 사랑이라 하지요.

하여, 눈빛 속에 피어나는 미소는
복스러운 꽃님의 웃음꽃이라 할래요.

어쩜, 어제의 고통과 인내를 딛고
오늘은 새로운 열정과 사랑으로
내일의 희망을 찾는 출발이라 했지요.

그래요, 지난 오십년 당신이 없었다면
이 행복의 희열을 느낄 수 있었을까요?

동해 뚫고 솟구치는 태양처럼
행복이 찬란히 떠오르는 새벽엔
로뎅의 '생각하는 사람' 이 된답니다.

https://www.ktv.go.kr/content/view?content_id=570065
100년 후

46.小 宇 宙

왜냐 구요?
사람을
小宇宙라 한다는데.

하늘은 마음
지구는 육신
생명은 사랑이라 한다지요.

光기 + 水기 + 空기
보일 듯 만질 듯
환경이라 하지 않더냐.

하늘의 天氣
지구의 地氣
생명의 人氣를 합성한 그 삶

하지만,
언젠가 삶이 끝나는 순간
우주 속 암흑물질로 환원되겠지만.

고로,
宇宙가 창조한 藝術品
人間을 小宇宙라 한다지요..

https://www.ktv.go.kr/content/view?content_id=592026_
얼씨구

47.무지갯빛 행복

첫째 건강이 이라 했지
몸도 정신도

그 다음 아내라 했는데
사랑도 희생도

셋째 할 일이라 했지
매일 좋든 나쁘든

넷째 재산이라 했던가.
많던지 적던지

그리고 친구라 했지
여자이든 남자이든

참, 희망이라는 단어도
1일1선 1일1화 1일1통

달성 하든 못하든
마지막은 목표라 했는데

그렇게 솟구치는 행복에너지
넘쳐나는 순간의 웃음소리
그게 무지갯빛 참 행복이야

https://www.ktv.go.kr/content/view?content_id=564285
조나단

48.고 독

참을 수 없는 그리움의 향기香氣
심장이 콩닥거리기 시작 할 때면
외로운 고독은 벌써 서러움을 탄다.

추억어린 코발트색 곱던 하늘엔
설화雪花가 몰래 피어오르고
커피 향에 입맛이 살포시 동한다.

즐거움을 잃어버린 어느 순간瞬間
하얀 밀크 빛 하트가 그려지고
얼음 깨고 배시시 피어나는 동백처럼

한없는 기다림의 끝자락에
드디어 너를 만난 눈빛은
은근히 주고받는 별빛 닮아
지나간 세월歲月을 물끄러미 쳐다본다.

그래요.
너무도 사랑스러워요.
세월의 풍화 작용이 그려낸 수채화水彩畵

홀로 왔다 홀로 떠나는 세상
꿈꾸듯 무심코 흘려버린 한 삶이
거친 숨소리마저 고독孤獨을 적신다.

https://www.ktv.go.kr/content/view?content_id=590282_
고독한 쥐

49.고 향 집

잃어버린 고향집
섣달그믐 밤새 별빛 밟고
눈 덮인 산길 돌아 찾았는데.

장 닭 우는 소리에
눈 뜨자 꿈인가 생시인가
아, 되돌아 갈수 없구나.

지난 것들에 대한 향수,
때 묻지 않은 순진한 시절
여전히 그리움만 부스럭거린다.

https://www.ktv.go.kr/content/view?content_id=567580
황금 돼지

50.봄도 아닌 날

어라,
봄인 줄 알았더니
하얗게 부서지는 봄 향기
난기류에 빠진 안타까움이어라.

흰 눈 날리는 겨울도 아니고
오색꽃향기 풍기는 봄도 아닌 날
커피한잔 목젖타고 내려가는 오후,

입춘에 웃었더니 찬바람 불고
함박눈 닮은 춘설 휘날리는
엄동의 감촉이 순간을 아프게 하지만.

햇볕 없는 영롱한 하얀 슬픔이
어느새 매몰찬 찬바람에 휘감겨
겨울 눈꽃처럼 소복하게 피어난다.

그리움을 무너뜨린 혼돈의 계절
멍청히 꽃님을 기다리는 속가슴 깊이
봄도 아닌 날 검붉게 타들어 간다.

https://www.ktv.go.kr/content/view?content_id=597892
학처럼 황새처럼

https://blog.naver.com/rokbigman/223336209386
늙어가는 길

51.꽃 피는 길목

나를 사랑하고
너를 사랑하고
세상을 사랑하는
무지개 춤추는 계절이 온다.

샛노란 병아리 아우성 소리
아지랑이 불러 꽃밭에 퍼지면
오색 꽃향기 세상을 감싸고.

봄꽃 피어나는 돌담길 돌아
어느새 흥이 넘치는 봄빛 잔치
신명나는 벌.나비 춤판이 열리겠지.

기쁨과 슬픔이 뒤섞인 계절
아무튼 꽃 들판에 흠뻑 빠져
혼자 걷다 울 웃고 싶은 거다.

몇 해 전 꽃길 돌아 잃어버린
왠지 아직도 또렷한 꽃님이
오늘따라 자꾸 보고 싶단 말이다.

https://www.ktv.go.kr/content/view?content_id=572928
할미꽃

https://youtu.be/H3qh0E3IhYY?si=0hQSuL4mi_BT3FTH
갈곳을 찾아

52.꿈 같은 인생

어려서는
부모님 등에 업혀
깔깔 웃었다

학창시절 어린이날엔
부모님 덕에 3각 경주로
가끔은 우승도 했다.

결혼 후 회사 창립 기념일엔
가족단위 계주에 우승 보다
아마도 감투상은 몇 번 받았다.

욕심을 부리던 장년기
죽기 살기 세상을 누볐지만
겨우 부끄럼 없을 정도 버텼다.

흰머리 휘날리기 시작하던 날
욕심 버리고 열정을 되살리다보니
봄 햇살 보다 따뜻한 행복의 세상
밤마다 별빛 따라 사철가를 부른다네.

애완 토끼처럼

https://www.ktv.go.kr/program/home/PG2150012D/content/666289

애완 토끼

53.봄꽃이 좋다

눈꽃 폴폴 날리는 날
꽃님 불러 소꿉장난이야 좋지만
북풍한설 몰아치는 눈사람이 싫다

봄빛을 기다리는 고운눈빛
꽃피고 새우는 봄을 맞고 싶다
창틈으로 까꿍 하는 봄 향기 그립다

별들이 총총 수놓은
밤하늘의 보름달처럼
밝게 웃는 사람 꽃을 만나고 싶다

결코 가시 도친 장미보다는
목련꽃 개나리 진달래 함께 불러
님 닮은 해 맑은 꽃을 정말 보고 싶다

늙어 가는 길

https://www.youtube.com/watch?v=guI_eFJI3Ds&t=86s

제2화 행복으로 가는 비밀통로

행복한 날의 가족여행

행복한 사람은
늘 행복했던 일을 기억하지만
불행한 사람은 늘 불행했던 일을 기억 한다네

긍정적인 사람들과
삶을 같이하는 사람은 행복한 사람이지만

부정적인 사람들과
뜻을 같이하는 사람은 불행한 사람이라 한다네.

1.어느새 봄빛

눈비 뚫고 햇살 반짝
그래도 봄이 온다는 입춘 빛
아, 장하지 않은가

간밤에 칼바람도 가셨으니
어서 눈비야 그만 내려라
꽃눈이 자라목처럼 훔쳐본다.

장국밥 같은 사랑 닦인 길엔
별밤추억들의 그리움이여
벌써 종달새 등을 타고 날아든다.

봄도 버들가지 끝에 매달려
연두 빛 꽃망울 잉태하고 있나니
이제 나이 타령일랑 그만 하련다.

https://www.ktv.go.kr/news/latest/view?content_id=512088
600년전 이야기

2.고향 그린 그림

정월이면 생각나는 고향이야기
정이 넘쳐 피눈물이 고이고
사랑이 넘쳐 행복했던 고향
잔을 채워다오 술이나 한잔 올리련다.

아침마다 엄니의 정성담은
검정보석 서릿태 맛 콩에
금가루 차조 고루 섞인
연백평야 하얀 쌀밥이 최고지만

농사일에 지친 아버지 점심은
숯불에 구운 꿀맛 고구마 감자
꿩고기 우려낸 메밀국수 한 그릇
대청마루에 걸쳐 앉아 훌훌 먹고

황새 참새 날아드는 황금빛 노을엔
온갖 채소 나물 고추장 영양밥에
참기름 썩썩 비벼 꺼진 배 채우고
수박 참외 나누는 달빛노래 하루

주말에는 할아버지 소달구지로
연안 새벽시장 따라가던 날
뒷골목 진 곰탕 그 맛도 좋지만
가족용품 고르는 맛 더 좋았다네.

정초에는 조상님께 차례 지내고
어르신 부모님이 주신 세뱃돈에
마을 친구 불러 연날리기 윷놀이
썰매는 하루 아닌 한해가 홍이었다오.

https://youtu.be/H3qh0E3IhYY?si=0hQSuL4mi_BT3FTH
시 그리고 날개

3. 잃어버린 삶

나
하나뿐인 인생
어느새 팔부능선 까지 왔는가.

아, 옛날이여~
시 같은 사랑이었고
아름다운 노래로 흘러간다.

그림자 속 그 여정
웃고 울고 뛰다 쓰러지고
이제 슬퍼해야 할 이유는 없다.

그때는 정말 몰랐다.
따스한 온기 다 잃어가고
구름 속에 떠도는 추억이 되었구나.

혹시 새해 어느 날
비룡을 만나거든
여의주 하나 꼭 보여 달라 부탁하련다.

옛날에 아주 옛날에 . . . 저기 저기서 . . . 알겠지?

4..生 과 死

새벽안개 자욱한 둥둥섬 난간
흐느끼는 여인이 매달려있다.

가슴에 묻고 떠난 애끓는
누군가의 유골을 뿌리는 건가

물에 비친 소리 없는 몸부림
지나치기엔 싸늘한 예감이 스친다
무슨 사연이 있나요?
대답 없는 눈동자 힘이 없다

반짝 스치는 순간의 예감
긴급전화 112 눌러댄다

급 합니다. 급해요.
네 네 네
자살 할 것 같아요

오, 하늘이시오,
물살 가르며 빨간 뽀드 달려오고
구급차가 들것 들고 뛰어 온다

습관이 된 새벽 산책길이지만
식은땀이 흐르고 다리가 떨린다
더 이상 내가 할 수 있는 게 없다

그걸 빤히 지켜본 까치 한 마리
까악 깍깍 까악
삶과 죽음도 마음먹기 달려구나

https://www.ktv.go.kr/news/latest/view?content_id=509650
싼타마을

5.우리 땅 독도

수평선 따라
배 멀미 3시간을 견뎌
가을 옷 곱게 차려입은 독도야 반갑다.

동해의 끝
이 나라 뱃고동이 마지막 멈춰 서는 곳
거친 해풍에도 일출을 지켰구나.

연보라 왕해국이
끈질기게 숨쉬고
이사부 군령이 서린 쌍돌섬 독도

장하다 독도
단군의 핏줄 잊을까마는
시뻘건 욱일기를 찢으며

왜구에 접근을 불사하듯
수천 년 수만 년
물새 불러 올곧게 서 있나니

천년만년
태극무늬 휘감고
무궁화 삼천리 대대손손
태양처럼 찬란하게 치솟아라.

https://youtu.be/H3qh0E3IhYY (우리땅 독도)

6.유채꽃 사이 길

유채꽃 사이 길을 걷던 날
어색한 말도 필요 없이
서로의 마음을 알았다네.

노란 꽃이 수놓은 비단길
서로의 손을 꼭 잡고
깔깔 웃으며 걸었다네.

꽃잎 하나씩 꺾어 물고
설렘이 두근거리는 두마음
미래를 꿈꾸며 속삭였다네.

밤하늘 빛나는 두 줄기 별빛
행복한 인생길을 곱게 비추며
가슴깊이 두 사랑은 닮아 갔다네.

https://www.ktv.go.kr/news/latest/view?content_id=502013
안중근 의사

7.황혼의 소리

보이나요?
들리지도 보이지도
잡을 수도 없는 저 소리

잠꼬대 하다
깨어보니
어느새 뛰어가는 황혼 길

째깍 째깍 저 소리
덧씌워 살수 없는 한살이
꿈꾸다 가는 쳇바퀴 인생길

더 착하게
원앙처럼 행복 하게
이제 뚜벅 뚜벅 살다 가련다.

https://www.ktv.go.kr/content/view?content_id=547394

8.정 주고 사랑 받고

시간이 흐르고 세월이 흘러
훌쩍 지나고 보니 그 인생
한순간의 연극인 걸

원망도 미움도
사랑하고 용서하며
나누고 배려하며 살 걸

쥐꼬리만 한 자존심
말 한마디 욕심 한번
더 참지 못한 바보 같은 삶

잘난 것도 없는데
거울에 얼굴 한번 똑바로
살피지 못하고 살았나 보다.

세상이 별천지로 바뀌기 전
하지만 정주고 사랑받고
행복 나누는 여생이고 싶어라

https://www.ktv.go.kr/content/view?content_id=547394
영리 한 개

https://youtu.be/46zRGc-1fSk
정주고 사랑받고

9..토끼띠 인생

단풍 고운 첩첩 산골
금빛 노을 반짝일 때
예쁜 토끼 한 마리 태어났다

젖 떨어진 애기토끼
도토리 밤알 찾아
다람쥐 함께 뛰놀던 귀염둥이
어느 초여름 전쟁 같은 천둥번개
폭풍우에 휩쓸려 떠내려간다.

천길 폭포수에 떨어지고
독수리 여우 피하려다
진흙탕에 빠져 허덕이고.

구사일생 목숨건진
허기진 토끼
쓰러져 꿈꾸다 비행기를 탄다.

행운의 천사 아이들 만나
넓고 시원한 정원
아름다운 꽃밭에서 뛰고 놀다.

어느 순간에
고은 빛 즐거움도 지나가고
차가운 암흑 밤이 덮칠 텐데.

인생 다 그렇다지만
너무 극적인 지구촌 여행
그 넘어 행복은 생각보다 퍽 짧았다네.

https://www.ktv.go.kr/content/view?content_id=666289 (토끼)

10.첫눈 내리는 길목

밤잠 설친
노인장의 헛기침 소리가
담장 넘어 새벽공기를 어루만진다.

하얀 강아지 혼자 탱고 춤추는
서리 맞은 단풍잎 쓸고 간 자리
뜰 안 팍 첫눈이 하얗게 어린다.

겨울로 가는 길목마다엔
눈발타고 돌아가는 바람개비
틈새 사이 황금빛 전설이 흐르고.

그나마 찬바람 멈춘 뽀얀 하늘
그리움을 재촉하는 운 좋은 날
첫눈 밟고 종알거리던 추억이 그립다.

엄니 목소리가 그립고
친구가 부르는 썰매장이 그립고
몰래한 첫사랑이 더 그립다.

머릿속이 아득한 그날 밤,
그리움도 퍽 재미있었겠다.
쇠퇴한 사랑이 다시 타올랐을 테니까.

https://www.ktv.go.kr/content/view?content_id=692846#
용꿈

11.식인 모기

숲속까지 쫓아 온 늦더위
푸른 바다 꿈을 꾸며
나무 그림자 깔고 코를 곤다.

은밀히 찾아온
식인 모기 한 마리
핏물 사정없이 빨며 노래 부른다.

노을빛은 서산 넘어 가고
마치 커피우유 마시듯
배불리 희죽 희죽 잘도 빤다.

헌혈이나 하듯
폭염에 지친 노인은
생명의 피 빨리는 줄도 모르고.

결국은
빨간 피 때문에 모기는 살고
야윈 노인은 피 때문에 죽어 간다.

웰다잉 이란?

12.꿈에 본 내 고향

국화향기 마시며
뻐꾹새 추억 찾아 가는 길
노랑나비 한 쌍 앞장을 선다.

붕어 낚시 하던 징검다리 건너
가파른 돌산 언덕길 돌고 돌아
시원한 무지개 색 폭포수 반기니

우박처럼 쏟아지는 별빛 옛 동산
밤나무 흔들어 알밤 줍던 친구들
추억을 수 놓아준 젖 냄새 진동한다.

참 좋았던 그 시절
추석명절이 가까이 오는 가 보다
잃어버린 고향 그리워 밤잠을 설친다.

https://www.ktv.go.kr/news/latest/view?content_id=500163
찾아 가는 병원선

https://www.ktv.go.kr/news/latest/view?content_id=485864
판문점을 가다

13.가을이 좋아라

애타게 그리워하면서도
결코 쉽게 만날 수 없는
짝사랑이었나 보다

지독한 폭염에
울고 웃는 광란의 삶
어쩌면 몽유병을 앓았다네.

이제 조석으로 일렁이는
갈바람 속삭이는 밀어에
뜨거운 땀방울 솔솔 날리며

불덩이 꺼진 밤하늘
흰 구름 헤치는 조각달 따라
끝없는 별 밭을 웃으며 걷는다.

폭염태풍을 털어 낸
뜰 앞 감나무 가지마다
주홍색 굵은 열매 주렁주렁

탱자나무 울타리엔
벌써 가을 냄새 물고 온
산새 참새들의 천국이다

상사병에 시달린 그 삶도
가을 이야기 속에 묻어 버리니
붉게 물든 단풍세상이 퍽 아름답구나.

https://youtu.be/H3qh0E3IhYY?si=0hQSuL4mi_BT3FTH
우리 땅 독도

14.삶의 협주곡

이수 60지나도록 병원을 모르고 살았다
부모님 덕에 우량종으로 태어난 덕이다.

시력도 청력도 허리뼈도
약간 비대한 체질이지만

머리도 보통은 넘고 오장육부
어느 한곳도 이상이 없었다.

희수 70고개를 넘을 때 뇌졸중으로
쓰러지긴 했지만 잘 극복을 했다.
사랑하는 가족들의 협주곡 덕이란다.

정말
놀랄만한 건강 체질이었나 보다

하지만.
황혼 빛 산수 80를 힘겹게 지나면서
눈도 치아 청력도 쇠약 해 지더니
탁자마다 약봉지만 수북히 쌓여간다

허나,
협주곡이 따로 있나

늘 사랑이 있고
늘 인정이 있고
늘 웃음이 있고
늘 기쁨이 있고
늘 감사가 있어 잘 버틴다.

장독대에 정한 수 받쳐 놓고

두 손 모아 기도하는 어머니
빛바랜 사진 속 엷은 미소의 힘

비가 오나 눈이 오나
정성 따뜻한 아내의 인내심
그 깊고 넓은 사랑을 이제야 알았다네.

상수 100시대라 떠들지만
그것도 욕심일까?
미수 88까지 가족에 의지 않으면 참 좋겠다.

https://youtu.be/H3qh0E3IhYY?si=p4X31ODCAwxwG4P2
갈 곳을 찾다

15..뭘 어쩌란 말이냐?

그때 그랬던가요?
희망을 빤히 쳐다보고
첫사랑 탑을 웃으며 쌓던 달밤
어둠 속을 밝힌 꿈의 흔적들이다,

그래 그렇게 살아 왔지.
이글이글 아침 해 가슴에 품고
오순도순 행복이 불씨를 피우며
밤이면 달빛별을 헤듯이 살았다네.

어느새 인생의 끝자락
기우뚱 거리는 연약한 노파랑
서로를 생각하며 그리워하는 꽃
눈물 섞어 부른 사철가 너무 슬퍼말자

이제 어쩌란 말이냐
동분서주 한 어릿광대 같은 삶도
저녁놀 따라 어둠 속에 묻힐 것이니
웃음 꼴깍 삼키고 미소 활짝 피워 문다.

https://youtu.be/eIJDdF90-rg?si=6bdk0jfNtSLKTf6e
엄마 ~

16. 생명의 기적

금방
시들어 죽을 줄 알았는데
어둡고 비좁은 환경 속에서
알게 모르게 잘 살아남았다.

언제
내 품에 안겼는지 기억도 없지만
처음에는 반짝반짝 향내 풍기며
하늘을 찌를 듯 풍성한 난초였는데

어느 순간
이파리 몇 개 남지 않은
금방 죽을 줄 알았던 난초가
쓰레기통 옆에서 잘 버텨주고 있다.

가끔씩
연초록빛 새싹 몰래 틔우더니
몇 송이 작고 예쁜 꽃을 피워
기적 속에 향기 깜짝 놀라게 한다,

아무튼
자연의 기적이냐 생명의 미소냐.
눈빛으로 만져본 꽃잎 사이로
작은 기쁨이 가슴속에 행복을 깨운다.

수필의 날

17.요상한 세상

아침 햇살에 빛나는
활짝 웃는 꽃도 좋지만
저녁노을에 춤추는
오색 단풍도 퍽 아름답듯이

요상한
세상이라 해야 하나
예사롭지 않은 풍광에 가끔 놀란다.

깨진 옹기 뚜껑
얕게 고인 빗물 속에
파란 가을 하늘
하얀 구름 둥둥
달빛 별빛 수영장은 어떠한가.

더더욱 요상한 세상은
어느새 눈치 빠른
고추잠자리 한 쌍
연못에 빠진 별빛을 건저 먹는 세상이란다.

웰다잉 인생

18.노을 빛 인생

비 오는 날 어때?
이르게 찾아온 장맛비
도심 속 익숙한 골목 지나 작은 공원

빗소리 들으며
추억을 모아 혼술도 좋지만,
옛 친구 불러 함께 마셔도 좋겠다.

빗소리 걷거든
싸악 들이키는 막걸리 한잔도 좋지만
아내 함께 상큼한 포도주 한잔 어떨까

뭐, 아무렴 어떠한가.
사랑 잃어가는 노을빛 인생
그게 바로 행복 아닐까.

백두산 천지

19.아내의 기도

을씨년스런 한줄기 눈 비
매섭게 뿌리는 새벽녘
걱정스러워 말려도 보았지만
새벽기도 간다며 방문을 나선다.

월세 받아 그럭저럭 살던
아담한 건물 사무실 방
한겨울 텅 빈지 벌써 몇 개월
예전 같으면 걱정 없을 텐데.

건물마다 나붙은 임대광고
목 좋다는 곳도 아우성인데
찬바람 몰고 온 햇살만
창틀 틈새로 손짓을 한다.

심장박동 바삐 움직이는
노을빛 저물어 캄캄한데
아내의 애타는 기도소리
환청(幻聽) 섞어 들릴락 말락

나이 들어 힘 빠진 몸
이방 저 방 기다리다 지쳐
화장대 기대에 쪼그려 앉아
낡은 전화통만 지키고 있다.

가시 없는 장미

20.춘풍 부는 날

눈 녹는 계곡에 까투리 한 마리
애린 날씨에 어쩌자고 깃털 털며
아지랑이 햇살에 봄을 부르는가.

막바지 벼랑길 넘는 꽃샘추위
생명수 끌어 마신 파릇한 새순들
봄비 젖어 수줍은 벚꽃이 기지개 켠다

목련화 개나리 앞 다퉈 매화향
덩달아 달려드는 버들강아지
강변 돌아 꽃바람 일으킨다면

아! 종달새도 봄 처녀도
코끝 스치는 상쾌한 꽃 이야기
너울너울 꽃빛 춤추며 반겨주겠지

나의 여인이여 . . .

21.응급실에서

빨간 밤 병원 응급실
들숨 날숨도 힘든 환자 틈에
분초 다투며 끌려갈 줄이야

하늘이 무너질 듯
뇌경색 사지마비 언어장애
하늘도 땅도 모른다

삶과 죽음의 거리
그저 먼 남의 일로 알았는데
참 가깝다

갈 길은 오직 두 길뿐
왼쪽 길은 시체실
오른쪽 길은 응급실

몇 시간 전
울고불고 웃던 모습은
모두 다 과거다

초죽음 아내의 가슴속
새까맣게 타버린 숯
펑펑 부은 눈으로 나를 건졌나

수많은 세월이 흘렀지만
生 과 死
몇 번인가 중환자실 드나들던
지워지지 않는 그 사랑을 바라본다.

22.사랑의 굴레

바람이 불고 계절이 날리고
고운 단풍잎 사각사각 쌓인 길
돌고 돌아 오가며 걷던 정든 길인데. .

어디선가 묵묵히 걷고 있을
나누지 못한 꽃 무지개 정담
깨지기 쉬운 허약한 꽃길이었나.

야금야금 쌓아뒀던 이야기들
세월의 속도를 이길 수 없어
끈적이는 사랑의 굴레를 벗으려 한다.

이제, 희끗 희끗 눈 덮인 싸늘한 길
쓸어도 찾아도 발자국 안 보이지만.
혼자 가슴으로 휘저으며 걸을까보다.

노인 친화 거리
https://www.ktv.go.kr/news/latest/view?content_id=533565

https://www.ktv.go.kr/news/latest/view?content_id=533565
맹인독경

23. 시작과 끝

세상만사
시작과 끝이 있듯이
수레바퀴 세월의 인생

구겨지고 찢겨진 자리
잃어버린 날의 아쉬운 달력
막연하지만 또 걸어보는 새 희망

여명이 움트는 하늘엔
반짝이는 윙크 빛 뭇 별
광활한 새 세상을 사랑하잔다.

돌고 도는 숨바꼭질 세월
푸른 희망의 토끼 아닌 용꿈
그것이 새해의 새 희망이라네.

독립군가
https://www.ktv.go.kr/news/latest/view?content_id=509316

24. 그립다 어머니

먹구름 사이 쏟아지는 햇살
저 넘어 칠 선녀춤을 추고
무지개다리 곱게 꽂혔다.

아직도
기다려지는 누군가 있느냐고
나는 나에게 질문을 한다.

고달픈 순간에 떠오르는
내안의 태양 그리고 별과 달
누군가 사다리타고 내려오고

동지섣달 차디찬 긴 밤
촛불 앞에 축원하시던
어머니, 그 어머니가 선하다

칠흑 같은 어둠이 찾아오면
폭포수처럼 쏟아지는 눈물
밤 새 그리움으로 갈무리한다.

https://youtu.be/eIJDdF90-rg?si=9wsuWBmyze20OTFF
엄마가 휴가를 나온다면. . (정채봉 시)

25.낡은 사진 한장

색 바랜 낡은 사진을 본다
껄 껄 껄
아버지가 시원하게 웃고 계신다.

눈빛을 마주하자
즐거웠던 그 추억에 홀려
심장이 터질 듯 흥겨우신 걸까

아니면
허탈해 혼자 웃으시는 걸까
아버지의 웃음소리 맴돌고 있다.

어머니가
바싹 옆에 붙어 앉아
달빛처럼 배시시 미소를 짓는다.

무척 반갑다는 걸까
아니면 무심하셨던 걸까
알쏭달쏭 그 눈빛마저 모르겠다.

아니면
나를 만나자 살짝 꾸짖는 건지
부모님의 미소가 마음에 남아있다.

왠지, 낡은 사진을 꺼내들면
어린애처럼 벌써 눈물부터 흐른다.
심장 뛰는 그 손길 자꾸만 만지고 싶다.

26.나의 홍도화

벼락 치듯 태어나
구름처럼 떠돌다
봄바람에 휘날려
노을빛 따라 가자는데

샛별처럼
초생 달처럼
노래 부르며

아니아니 아니야.
긴 울음을 남기고
되돌아 갈 순 없어

크게 웃고
밝게 비추며
해돋이 태양처럼
뜨겁게 살다가자 성화라네.

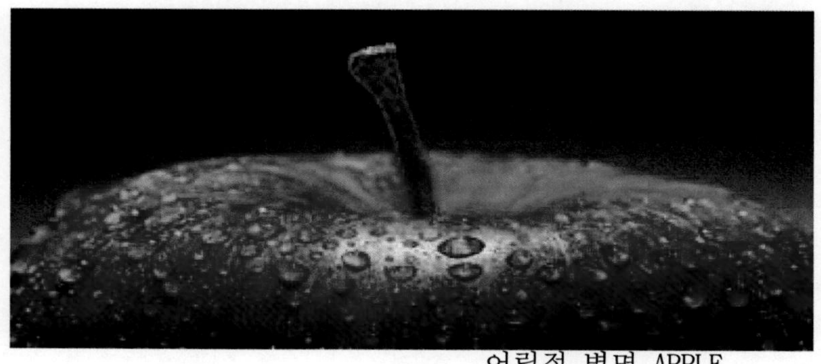

어릴적 별명 APPLE

27.봄이라 했니?

겨울잠 지쳐 기지개피는 개구리
영혼마저 깨우는 봄바람
사랑 몰고 살포시 달려온다.

목화솜 보다 따사로운
봄볕 기다리는 꽃바람에
힘없이 우는 고드름
눈물방울 똑똑 세어본다.

쌔근쌔근 꿈꾸던 버들강아지
소복 쌓인 눈 배시시 헤치고
힘 빠진 동장군 눈치 살필 때면.

북쪽하늘 겨울새 줄지어 나르고
내 가슴에 잠든 사랑도 깨울 테고. .
꽃님을 생각하게 될 봄 향기 그립다.

봄 개구리

https://www.ktv.go.kr/content/view?content_id=596174
겨울이 북상 하면

28.숨어 웃는 풀꽃

길가에 숨어 웃는 풀꽃
여린 바람에 몸을 비비며
하늘하늘 춤추고 있다

연보랏빛 여린 풀꽃
작은 새 한 마리 놀다 떠나도
발끝에 밟혀 모가지가 꺾이어도

작고 소박한 귀한존재
아프다 소리 한번 지르지 않고
미소 한 모금 짓고 있는 강심장.

이름도 힘도 불평도 없이
크고 작은 뇌성번개 다 뒤로 한 채
웃음으로 한 순간을 장식하다 가는구나.

29. 신기루 여인

뒤엉킨 지하철 속 인파
다소곳이 책을 읽으며
미소 짓는 여인을 본다.

시공을 초월한 그리움
곱디곱던 옛 모습 그대로
반백년 지나 내 앞에 앉아 있다

언제 내렸을까
보이지 않는 그녀 자리엔
주름 잡힌 노파가 졸고 있다

가슴 떨리는 순간이지만
그리움을 찾아준 신기루 여인
눈을 감고 그녀를 찾아 헤맨다.

수산어류 개발
https://www.ktv.go.kr/news/latest/view?content_id=515850

30. 코스모스 꽃길

계절이 오가는 산모퉁이
흐드러지게 늘어선 꽃
천사처럼 곱게 웃고 있다

어디서 왔다 가려는 걸까
세상인심 다 울려 놓고
차디찬 입동문턱 넘어 가는데. .

북풍한설에 날려 보내야 할
못다 한 아쉬운 사랑이야기는
한 순간 타버린 낭만의 꽃이런가.

짧은 날 열정으로 피어낸
신비의 코스모스 꽃길
울어버린 만인의 가슴을 관통 한다

31.소꿉 장난 그 소녀

멀리 갈 것도 없다.
눈 감으면 떠오르는 곳
거기에 장미꽃 한 송이 피었다

피난길 전쟁터에서 만나
소꿉장난 옆집 그 소녀
설렘을 여는 추억의 그림자

밀려드는 거친 파도를 뚫고
점점 뜨겁게 솟아오르는
태양을 보는 것 같아 좋았다.

어둡고 비좁은 방공호 뛰쳐나와
사파이어 해맑은 하늘을 마시며
꽃잎 물고 마음껏 뛰놀고 싶었다.

이제까지 살아 온 길도
앞으로 걸어 갈 길도
결국엔 다 한줌의 재가 되겠지만

해가 가고 달이 가도
문득 그리움이 솟구치는
그 추억은 달라질 게 없겠지.

https://www.ktv.go.kr/news/latest/view?content_id=564285
조나단

32. 樂이 란다.

하루하루가
즐거우면
한 달이 즐겁다는데.

불평 대신에
눈가에 사랑을

슬픔 대신에
가슴에 기쁨을

노여움 대신에
얼굴에 웃음꽃을

질타 대신에
입가에 칭찬을

남 탓 대신에
상대에 감사를

그렇게,
한해가 즐겁다면
평생이 樂이라 하네요.

33.봄은 오는가.

입춘 지나 우수경칩
봄은 오는가.

아직 애린 날씨에도
쏟아지는 노란 햇살 반갑다

꽃샘추위 살짝 지나더니
새순 틔우는 생명수 한 사발
꽃나비 부르는 봄비가 춤을 춘다.

눈보라 강풍 휩쓸린 꽃자리 딛고
봄 내음 반짝이며 일어서는 곳
신의 물방울 하나 대롱 매달려있다.

나뭇가지에 새순이 깔깔 웃고
산새 들새 종알종알 경쾌한 소리
여린 코 끝 스치는 연분홍 감촉도

그렇게 봄은 오는가.
얼어붙었던 봄 향기 차오르니,
벌써 손에 잡힐 듯 착 착 감긴다.

34.익어 갈 무렵

행복으로 폭 싸인 노후 삶
아무튼 알 듯 모를 듯
은은한 미소가 깃든 황금빛
향기 짙은 웃음꽃이라 해야겠다.

初老에 봉사하며 여행하는 기쁨
부부행복을 보듬는 中老의 미소
한 쪽이 세상 떠난 末老의 눈물

희극도 비극도 아닌
각본 없는 수레바퀴 인생이지만
연륜이 쌓인 그저 좋은 연극은
나를 넘어 관람객마저 웃겠다.

행복이 배시시 숨 쉬는 곳엔
양지바른 따스한 노을빛 반기며
절벽바위 뚫고 피었다 지는
돌산 할미꽃 전설처럼 말이다.

어차피 홀로 떠난 여행길
노을빛 순간이 지나 가지만
다시 한 번 성화처럼 타오르는
환희의 꿈이나 실컷 꾸어보자.

https://blog.naver.com/rokbigman/223336209386

35.無識 과 常識

신비롭지 않은 世上
아름답지 않은 人生
흥미롭지 않은 삶 있겠냐만

베짱이가 함박눈 내리는
아름다운 겨울을 모르듯이

虛無 하지 않은 人生
늙어 보지 않고는 모르고

悽慘 하지 않은 죽음
어디 있으며

悲慘 하지 않은 敗北
당해 보지 않고는 모른다네.

花無十日紅이요.
權不十年이라.

勝利도 幸福도
슬픔도 웃음도
쓴맛 단맛 그 人生 史
瞬間이라 하지 않더냐.

調和롭고 完璧하게 創造된
森 羅 萬 象 이 世上
生 老 病 死 그 人生
喜 怒 哀 樂 감미로운 내 삶

오늘은 내일의 시작이라
자고나면 다 아름답다는 거
그걸 나중에야 깨닫게 되었다네.

36.어떻게 하지

참, 잔인한 인생 함께 하며
별로 가치도 없어 보이는데
끈질기게 살아왔다네..

한 번도 입은 적 없는 옷
두 번 다시 읽지 않은 책
가격표가 그대로 붙어 있었다네.

너무 아까워서일까,
언제 입을지 몰라서일까,
혹시 손자가 읽을지 누가 알아.

허나 꾸겨진 옷장 접혀진 책장에는
알뜰한 사연이 종알거리고
파란 역사가 아직 아로새겨져 있다.

그런데 극복 할 수 없는 문제는
세상도 젊음도 열정도 식었지만
차마 버릴 수 없는 너무 많은 이야기다.

이 구석 저 구석
산더미처럼 쌓여 가는데
얼굴주름만 주책없이 늘어난다는 거다.

열정어린 노인

37.연의 섭리

아름다운 인생의 시작점
귀 빠진 날
우주만물이 경이로운 힘이었다네.

엄니에게서 배운 사랑도
아내에게서 알게 된 젊음도
자식에게서 찾은 노년도

그 사랑에서 행복을 찾았고
그 슬픔에서 기쁨을 배우고
그 마음에서 불행을 보았다네.

음과 양이 혼재한 자연의 섭리
삶이 좋아서 찾은 건 아니지만
다 신비의 생명이라는 거

어쨌거나 저기 멋진 생명체들
두 번 다시 오지 않는 삶이라는 거
배시시 함께 웃으며 살아갑시다.

마도4호선(600년전 이야기)

38. 행복을 우리 편으로

산등성이 넘어 들판에
계절이 우리 편으로
봄바람에 실려 불어온다.

모퉁이 돌아 새싹들
벌 나비 부르는 꽃향내
사랑도 우리 편으로 불어온다.

출랑대는 종달새야
속삭이는 바람소리 따라
가보지 않은 꽃길 찾아야지

어느새 나랑 너랑
소리 없는 웃음소리
행복의 꽃길을 걷고 있다네.

종달새 우는 어느 봄날

39.봄에 핀 꽃님

새롭게 피어난 꽃길
피고지고 지고피고 생각난다.
벚나무 연분홍 꽃길 종알종알
가슴 설레는 조팝나무 꽃길도

바다로 흘러가는 강물처럼
봄바람 날려 울긋불긋 꽃물결
진달래 제비꽃 먼저 개나리도
그때 꽃님 걷던 꽃길만큼 고왔어라.

벌 나비 없이도 꽃비 날리자
목련화 산수유 황매화 철쭉까지
저렇게 변함없이 고울 수 있을까

꿈처럼 피는 듯 지는 꽃숭어리
한 순간 피었다 지는 꽃 닮은 꽃님
지는 듯 피는 라일락 가지 꺾어
목에 걸어주던 캠퍼스 향기길

잊으려 해도 잊혀 지지 않는 분홍빛
꽃님처럼 곱디고운 저기 꽃길엔
봄바람 좋아 피웠다 가는 꽃뿐인데

오늘 빨간 꽃향기 적신 내 심장
그만 내려놓아야 했는데.
이리 쥐어짜는 이유를 묻지마라
설렘은 살아남은 자의 몫인가 보다.

https://www.ktv.go.kr/news/latest/view?content_id=522757
'소산마을' 가 보셨나요?

40.노년의 삶

꿈과 함께 째깍 짹깍
그럼에도 불구하고
몰래 찾아든 황혼의 삶

이제 욕심도 미련도 그만
다 !
내려놓아야 금빛 삶이다.

무엇보다 중요한 건
지나간 순간의 찢긴 상처를
자연이 뿜는 영혼의 향기 불러
원상회복 하는 거지만.

멀리 안타깝게 떠나버린
꿈꾸다 가버린 세월을
가까이 불러 뜨겁게 태우자 하니

잔주름 늘어나는 그 인생
이제 열정도 꺼져가는
다 타다 남는 사랑으로
밤하늘 높이 춤추게 하자는데.

그믐달 닮은 노년의 삶이
이제야 얼마나 소중한지
아무튼 끝내 깨닫게 하는 거다.

노인 학대

41.열　정 (熱 情)

좋은 날
아무리 좋은 옷이라도
입고 갈 멋진 곳이 없다면

몸에 맞지도
어울리지도 않고
주머니가 텅 비어 있다면

차라리 새소리도 없는 오솔길
홀로 걷는 것만 못하다네.

내 인생에 넘쳐나는 열정도
가장 큰 영광의 순간도
가장 좋은 기회의 순간도
아쉬움으로 끝난 젊은 날의 혈투

어느새 영원한 이방인이 되어
별을 보고 있는 나는 누구인가
별 밭 매만지며 영글고 있었는데

아니 마치 수만 볼트 전기가
온몸을 뚫고 지나가는 것 같은
고독이라는 전율을 느꼈다 하자.

꿈꾸듯 흔적 없이 사라진 세월
늘 샛별처럼 빤짝거린 그 열정도
시나브로 도무지 알 수가 없네..

충무공의 리더쉽

42.행복의 색깔

햇볕 쬐는 좋은 날도
천둥번개 나쁜 날도
살다보면 일렁거리는 날도

하지만 세상의 모든 길은
사랑의 꽃비 내리는
행복으로 가는 비밀통로라는 거.

때로는 끝없는 풍파를 넘어
순풍의 꽃물결 드리며
행복의 색깔 더듬어 간다는 거.

실핏줄타고 흐르는 슬픔도
알싸하고 향긋한 맛도
느끼다보면 다 괜찮아 지는 날도.

봄 햇살 보다 더 따뜻한
순도 높은 애정과 열정 넘어
그 사랑과 함께 춤춘다는 거.

그 사랑을 반죽해 만든 행복
꽃 내음 불어 행복의 웃음 피우고
촛불 밝혀 아름답게 만들자 하네.

43.가정의 달 단상

사랑, 가장 아름다운 언어
생각만 해도 저미는 그 사랑
벌 나비 찾아가는 꽃이 좋고
심지어 태양도 달도 별도
하늘도 땅도 다 좋아 한다더라.

행복, 가장 감동적인 울림
자나 깨나 불러보는 그 행복
인생의 원초적 목표가 아니더냐.
꽃 송아리 아무리 곱기로서니
행복한 가정만큼 고울 수 있겠나

어머니, 가장 감미로운 단어
영원히 잊지 못 할 엄니
좋아도 울고 슬퍼도 웃고
감격해도 참다는 내 어머니,

웃음, 가장 평화로운 소리
아파도 웃고
힘들면 속으로 웃고
가족이 함께 웃으면 더 좋은
아버지의 호탕한 웃음소리.

두 번 다시없는 삶
자연도 바람도 구름도
먹이 찾아 헤매는 짐승도
마지막 순간은 꽃처럼 웃고 싶단다.

https://blog.naver.com/rokbigman/222962679926
현웅이 가는 길

44.삶의 맛

엊저녁 황새부부 날더니
오늘은 더 좋은날의 살맛
까치부부가 창문을 두드린다.

빨간 태양이 솟아오르고
해가 지니 보름달이 웃고
캄캄하니 빤짝이는 별빛 맛.

영혼까지 불러 조물조물 버무려
달콤한 행복을 만드는 사랑 손 맛
그 얼굴들이 보일 때 너무 기쁘다.

부모님의 짭조름한 행복한 맛
아내의 달콤한 오색 사랑 맛
아이들의 별빛 희망의 소리 맛
하늘 문 열리자 우주가 합창을 한다.

살아온 날의 아찔한 기적이
살아갈 날의 현란한 기적을
그렇게 만든다 하지 않더냐.

사랑을 억지로 구할 수는 없겠지만
따스하고 구수한 진짜 행복은
아마도 선택적 사랑의 순간인가 싶다.

하여 피어오르는 하얀 구름 위
어머니의 인자한 모습을 그리며
참 사랑의 맛을 다시 물어 보련다

45.행복한 소리

행복한 사람은
늘 즐거웠던 일을
잊지 않는 사람이라 하네요.

걷고 생각하며
사랑 할 수 있는 날까지

웃고 보고 듣고
말 하면서

아무튼,
남은 겨울밤 인생도
함께 의지할 연인들이여~

정주고
사랑 愛 받고
행복 나누면 좋은 거지.

소리 없는 소리 들려오는 소리
대자연의 합성 '메멘토 모리'
아름다운 꽃향내 피어오른다.

**메멘토모리(mementomori) : 죽음을 기억하라 (라틴어)*
뭐든지 결국 소멸된다는 것을 기억하라

https://youtu.be/CmIREXQANeQ?si=rAFeNGzWyLZA1Vff
응급실

46.식 목 일

봄바람 타고 춤추는 꽃비
밤새도록 초록초록
언 땅을 밟고 가는가 싶더니.

연분홍 꽃구름 뚫고
숨어 찾아 온
따스한 햇살이 쌩끗 웃는다.

온 세상 가득 피어나는
태곳적 상큼한 그 맛
계절의 빛과 자연의 숨소리

두 손 곱게 모아
꽃밭에 두 사발
내 입에 한 사발
성미 급한 꽃향기

감미로운
물 향기 긇어 모아
풀 향기 섞어 봄을 엮는다.

큰 바위 얼굴(미서부)

47.타버린 인생

타버린 세월 화려하지 않은 인생
그래도 멈출 수 없는 나머지 세월
돌아볼 필요 없는 새로운 길 만들자.

아무튼, 따끈한 커피 잔속 파도에
쥐꼬리 닮은 촛불을 보듬으며
고운 추억은 시나브로 소멸해 가고

하여, 짧지만 주어진 역동적인 삶을
정리할 수 있는 그런 여유가 있다면
그 자체가 삶의 참 의미일지 모르겠다.

마음은 벌써 우주선타고 떠난다만
그 여생의 발자국 찍어낼 두 발은
아직 땅에 묶여 밤새워 몸부림친다.

지루하고 고독한 밤이 깊어질수록
초침은 뚜벅뚜벅 아는지 모르는지
방구석을 뒤지며 끝없이 헤매 돈다.

태안 기름띠 제거 봉사

48.아무튼 봄

빨간 태양이 빤짝이는 창가
따끈한 커피 잔에 꽃향기
봄바람을 느꼈다고 하자.

먼 산 넘어 앞개울 지나
개나리 진달래 목련화
벌써 벚꽃 나들이 긴 행렬
봄빛은 몰래 손짓을 한다.

산수유 홍매화까지 실눈 뜨는 봄
아지랑이 화려하게 피어오르고
도린 도란 물빛 깊은 향기까지

하여, 봄은 기다림이며
봄은 사랑인가 보다.
꽃물결 없는 봄은 봄이 아니다.

뒷동산 진홍빛 할미꽃은
아직 찾는 이 없는 무덤가
하지만 봄눈 뚫고 서둘러 피었다

자연의 빛 그리고 생명의 소리
울긋불긋 꽃물결 연분홍 향기
아무튼, 봄은 새 삶의 설렘이다.

남극의 펭귄
https://www.ktv.go.kr/news/latest/view?content_id=521275

49.아쉽다 두 눈

나는 애초부터
두 눈을 갖고 태어났다네.

하나는
영혼세상을 관찰하라는
꿈꾸듯 감은 눈이라면

또 하나는
세상만사를 통찰하라는
똘망 똘망 뜬 눈이라네.

내 밖에 나를 관찰하라는
아비가 주신 마음의 눈

내 안의 나를 살피라는
엄니가 주신 육신의 눈

참 아쉽다.
한치 앞도 못 본다니
세 눈을 가지고 태어났으면

욕심의 한계를 잊은 채
사후세상도 볼 수 있었음
더 좋았을 텐데.

https://youtu.be/CmIREXQANeQ?si=rAFeNGzWyLZA1Vff
그립다 어머니

50.멀어져 가는 당신

왠지
너무 먼 당신같이
느껴지기도 한다

팔십년 세월이 지나고 보니
하루에도 열두 번
소용돌이치는 것 같다.

해마다 달라지더니
이제는 몸과 마음이
매달 아니 하루하루
돌변하는 이유가 무엇일까

하기야 지금의 내가 있기까지
바위가 조약돌이 되기까지
부서지고 깎이고 다듬어지는
울 웃던 시절을 참고 버텻을 것이다.

오늘밤 떠오르는 보름달에
몸과 마음이 멀어져가는 사연을
합장하고 꼭 물어 보련다

https://youtu.be/dFT7hjEWO7E
남편이 달라졌어요

51. 봄이 온다

연분홍 봄바람에
아직 눈이 휘날릴 때마다
꽃빛을 몰고 봄이 찾아든다.

꽃샘추위 간간이 닥치지만
그래도 죽어있던 가지에
연둣빛 물기가 돋기 시작한다.

곧 벚꽃이 노래를 부르겠지만
진달래 개나리 살구나무까지
홍도화도 나를 기다릴 테고

누군가엔 이별 대신 손을 흔들고
누군가의 마음엔 벌써 열정이
뜨거운 사랑으로 달아오르고

나 기쁜 날 오늘 정성들여
꽃나무 한 구루 심고 싶다.
바야흐로 봄이니까요.

幸福으로 가는 秘密通路

1日1善이라 했지
하루 1가지이상
밝은 선행을 실천하며
사회에 귀감이 되고 싶다.

1日1話라 했지
하루 1가지이상
고운 생활이야기 만들어
삶의 향기를 찾고 싶다.

1日1通이라 했지
하루 1가지이상
인연세상과 소통하며
아름다운 사랑을 나누고 싶다.

제3화 시향 날개를 달다

현웅 유한권

졸고만 있을 수 없는 팔십대 총명한 어느 날
마음을 내려놓고 욕심도 물건도 다 던져버리고
인연마저 정리하고 상 노년 갈 자리 생각하니
참 홀 가 분 하구나.

아름다운 사람은 떠난 자리도
아름답다하던데. 삶을 위한 욕심 대신 물심을 정리하는
무극의 세상, 의미 있는 화창한 날의 공상을
데스 클리닝이라 해야겠지?

1. 시낭송대회 심사후기

필자가 만난 큰 작가 玄雄 유한권 선생님!
2023년, 11월 쌀쌀한 어느 날, 충무로에 위치한
명성문화예술센터에서 <한국예술문학신문>이 주체한
시낭송대회에서 예선을 통과하고 본선에 오르신 참가자들
개성 넘치는 아름다운 의상과 대상大賞을 바라는 긴장한
모습이 교차하는, 조금은 엄숙한 분위기 였다.

심사위원으로서 필자는 참가자들이 낭송하시는 시詩에 대한
이해도理解度와 낭송에서 전해지는 섬세한 호소력 등을
세심하게 체크 하며 점수에 반영하는 힘든 시간을 보내던
중이었다. 그때 귀가 번쩍 띄는 어느 참가자의 명쾌한 낭송
모습에 몰입 해 응시했다. 멋진 정장차림에
페도라를 쓰신, 연세도 꽤 있으신 노신사가 '박두진 시인의
20행이 넘는 장시長詩 ' 해 '를 낭송하시는 것이 아닌가?!

작품 '해' 의 구성은 "1연은, 광명의 세계에 대한 소망 /
2연은, 어두운 세계에 대한 거부 / 3연은, 새로운 세계의
도래에 대한 소망 / 4연 5연은, 화합과 공존의 삶의 모습 /
6연은, 화합과 공존의 세계에 대한 소망" 인데. .

이를 완벽하게 이해하시고 고저장단 톤의 강약을 다루시며
낭송하시는 그 아우라는 평론가인 제 필력이 닿을 수 없는
낭송가로서의 큰 언덕이셨다. 나뿐이랴. 단연코
심사위원이었던 필자는 최고의 점수를 드릴 수밖에 없었다. 그
분이 바로 지금의 '玄雄 유한권' 선생님이시다.

그 인연으로 우리는 문우文友가 되어 선생님의 삶을
가까이에서 만나보면서 실로 더 놀라지 않을 수 없게 됐다.
거개, 시낭송가 들은 시인이 아니라 낭송만을 위해 참가하는
게 일반적인데. . 玄雄 유한권 선생님은 벌써 3집을 준비하신
탄탄한 시인이셨다는 점도 그러하다.

황해도 평산에서 부유한 유학자의 집안 장남으로 태어나시어,
8.15이후 공산정권에 재산을 몰수당하고 연백으로 쫓기어 나와
초등학교를 다니던 중 또 한 번의 6.25 한국전쟁으로
파란만장한 성장기를 거치셨단다. 현재는 산수傘壽를 훌쩍
넘기신 선생님의 노후 행복한 삶은 한 채의 알찬 도서관이
아닐 수 없다. 부디, 강녕하시어 후학들을 잘 이끌어 주시길
간청하면서 출판하심을 진심으로 축하합니다.

문학평론가 시인 인송.복재희 교수

2.중중무진重重無盡 연기緣起의 홀로그램

김욱동(시인, 문학평론가)

『한국문학』2024년 1.2월호 '이달의 시와 시평'으로 소개되는 현웅 유한권 시인의 시 3편 속에서 시인의 시적 자아의 발화점을 찾아 소소히 만난다.

수 천 년 전, 인도 슈메르산 아래 보리수나무 밑에서 득도得道한 부다가 설파한 화엄의 세계에서는, 어떤 세계든지 그 속의 세계는 무진장 많고, 헤아릴 수 없이 깊은 만물의 조화와, 끝없는 윤회의 연기법緣起法에 따른다고 갈파喝破했다.

젊은 날의 시인은 소개된 경력에서 유추類推할 수 있듯이 자신에게 주어진 수많은 시절 인연을 따라 열정과 성실로 치열하게 세상 사람들이 힘을 다해 추구하는 목표를 향해 달렸다.
그리고는 가시적 성공과 다방 면에서 인정받을 만한 두각을 여실하게 나타내 탁월함을 보여 왔었다.

들어가며 사람에게 주어진 길에 대하여 시금석試金石이 될만한 책 한 권을 소개한다.

《뉴욕타임스》칼럼니스트로 사회문화 현상에 대한 예리한 분석으로 사랑을 받아온 저널리스트이자 작가인 데이비스 브룩스(David Brooks)가 쓴 『두 번째 산』이다.

이 책에서 소개하는 바에 의하면 인생에는 두 개의 산이 있다고 주장한다. 세상 대다수 사람은 첫 번째 산에 대한 인식은 같으며, 그 산에 내걸린 지향점과 목표를 향한 초입初入을 발견하고 자신의 힘을 다한 등정을 한다. 성공, 출세, 명예, 돈, 권력 등 오감으로 느끼며 체험되는 성과와 목표다. 명문 대학을 나오고, 돈을 벌고, 존경을 누리며, 거칠 것 없이 사는 삶, 사람들이 추구하고 애쓰는 이런 목표의 삶을 첫 번째 산이라 칭한다.

유한권 시인의 삶도 비단 어렵고 힘든 고비도 숱하게 넘겼겠지만, 성공의 향한 길을 힘차게 걸었고 마침내 정상에 도달했을 것이다. 그리고 첫 번째 산의 정상을 오른 사람만이 누릴 당당함과 보람 그리고 가시적 자부심도 상당했을 것이다.

그런데 그 정상에서 시인 내면 깊은 곳에서 세미하게 들리는 자아의 음성을 발견한 것이다.

아차, 여기가 종착점이 아니었구나.
죽비竹扉로 내려치는 듯한 그 소리를 통해 길가의 작은 풀꽃의 미소에서「숨어 웃는 풀꽃」의 의미를 터득했고, 누렇게 빛바랜 「낡은 사진 한 장」에서 만난 부모님의 모습에서 시인의 심상의 발원지를 발견했으며, 새해 벽두 새벽길에서 「새해 새벽길」에서 시인의 길의 지평을 만난다.

길가에 숨어 웃는 어여쁜 풀꽃
여린 바람에 서로 몸을 비비며
하늘 향해 하늘하늘 춤을 추고 있다
보랏빛 분홍색 새하얀 풀꽃

작은 새 한 마리 사랑하다 떠나도
발끝에 밟혀 모가지가 꺾이어도

작고 소박한 대자연의 귀한 존재
아프다 소리 한번 지르지 않고
그냥 미소 한 모금 짓고 있는 강심장

이름도 힘도 불평도 없는 풀꽃이여
크고 작은 뇌성 번개 다 뒤로 한 채
웃음으로 한순간을 장식하다 가는구나.

-「숨어 웃는 풀꽃」 전문

호젓한 길을 혼자 걸을 때 길가에 숨어 웃는 이름 없는 들꽃을 만난다.
그 꽃은 두 번째 산을 향하는 두렵고 조심스러운 발걸음을 내딛는 시인의 「오브제」다.
삶의 모든 경험치가 집대성하여 의식과 영감까지 부여하여 의인화된 한 송이 풀꽃으로 재탄생한 시인 유한권. 시인의 길이 본인에게 다가온 필연의 연緣임을 간파했고, 그 길이 아무리 멀고 험한 두 번째 산이라도 결코 포기하거나 물러서지 않겠다는 자아인식自我認識의 발화점이다.

비록 여리지만, 모가지가 꺾여도, 뇌성 번개가 두려운 날에도, 시인으로 웃을 날을 소망하며 당찬 출사표出師表를 내민다.

색 바랜 낡은 사진을 본다
껄껄 껄

아버지가 시원 하게 웃고 계신다.
눈빛을 마주하자
즐거웠던 그 추억에 홀려
심장이 터질 듯 흥겨우신 걸까

아니면
허탈해 혼자 웃으시는 걸까
아버지의 웃음소리 맴돌고 있다.

어머니가
바싹 옆에 붙어 앉아
달빛처럼 배시시 미소를 짓는다.

무척 반갑다는 걸까
아니면 무심하셨던 걸까
알쏭달쏭 그 눈빛마저 모르겠다.

아니면
나를 만나자 살짝 꾸짖는 건지
어머니의 미소가 마음에 남아있다.
왠지, 낡은 사진을 꺼내 들면
어린애처럼 벌써 눈물부터 흐른다.
심장 뛰는 그 손길 자꾸만 만지고 싶다.

-「낡은 사진 한 장」 전문

인간의 삶에 주어진 오늘은, 어제의 또 따른 형태이며 연속선상의 일부임을 누구도 부정할 수는 없을 것이다. 비록

그것이 성공 지향적인 돈, 명예, 권력 따위의 가시적 세계인 첫 번째 산이던, 사랑, 우정, 믿음, 희생, 봉사, 예술 등 물질적 값으로는 평가할 수 없고 가치로만 측정할 수 있는 두 번째 산이던 오늘은 어제의 결과다.

두 번째 산의 최정상이며 마치 구도자의 길이라고 일컬을 수 있는 시詩의 길도, 어김없이 오늘은 어제의 내림이며 내일은 오늘의 상승上昇이다. 따라서 시인의 시적 태동胎動은 자신도 알 수 없었던 피의 흐름이다.

다시 말해 부모님을 비롯한 선친들의 혈맥 속을 도도히 흐르던 시詩 알卵이 유한권 시인詩人이라는 가장 적절한 토양을 만나 비로소 발화發火된 것이다. 마치 과거의 홀로그램이 오늘의 현실에서 재현되는 매트릭스처럼 시인의 상상의 등가물等價物이 된 낡은 사진 한 장을 만난 경이驚異.

혈맥을 터치고 뿜어져 나온 뒤늦은 대오大悟를 아버지의 호방한 웃음-당신은 자식 키우며 먹고 살기에 급급해 알지도 못한 두 번째 산을 오르는 시인을 기꺼워하는-의 격려와 어머니의 애정 어린 미소 속에서 만난다. 흡사 멀고 낯선 길(두 번째 산)을 떠나는 아들의 행장을 토닥거리는 애정에, 뛰는 심장의 눈물로 각성覺醒 한다.

간밤에 재롱둥이 토끼가
산 넘어 고개 넘어
말없이 꼬리를 감추고 떠나 버렸다
어제 걷던 비탈길은
새하얀 설원으로 카펫을 깔고

첫 발자국을 기다리고 있나니
동해 바다 높은 파도 뚫고
하늘 높이 승천하는
저 푸른 용을 두 팔 벌려 마중하련다.

처음부터
나 있는 길이 어디에 있으랴
우리 함께 새 길을 만들며 뛰어가리니

먼데 종소리 크게 울려라
어둠을 헤친 붉은 해 빙그레 웃으면
비로소 용트림의 장엄한 궤적을 찍으리라

-「새해 새벽길」 전문

방점傍點이란 단어가 있다. 국어사전에는 '글 가운데 보는 사람의 주의를 끌기 위하여 글자 옆이나 위에 찍는 점', 이라고 정의한다.

2023년 토끼해가 저물고 2024년 청룡의 해가 시작되는 벽두인 『문학한국』 1, 2월호에 소개되는, 다시 말하자면 방점의 쓰임새로 등장하는 이달의 시가 현웅 유한권의 시 3편으로 우뚝한 것은 결코 우연한 것이 아니다.

첫 번째 산을 치열하게 오를 때도 그랬을 것으로 짐작되는 시인의 근면성은 '새벽을 깨우는 자'의 길을 버리지 않고 이어가며 새로운 시인의 길을 가는 데도 활용한다. 오히려 영적 민감성이 가장 예민한, 새로운 날이 열리는 새벽 벽두를

소중하게 누린다. 인류는 출현할 때부터 중중무진重重無盡 자연의 섭리에 순응하며 살았다.

해가 뜨면 일어나 움직이며 일을 하고, 어둠이 내리면 육신에 안식을 위해 하루를 닫았다.
그런 인류의 DNA는 수십억 년이나 축적되었고, 불과 100년 이래 발명된 전기로 요즘처럼 낮과 밤이 바뀐 문화의 등장으로 사람들은 알지 못하는 사이에 스스로 혹사하는 것이다.
비가시적 정신적인 삶을 추구하며 두 번째 산의 정상인 시인의 길을 가는 시인에게 새벽은 시詩 알갱이를 줍는 개화開花의 살 떨리는 시간이다.

자연의 법칙에 순응하여 밤을 지내고 만물이 새롭게 깨어나는 새벽 시간 시인의 혼은 맑고 그윽하여 남들은 발견하고도 알지 못해 스쳐버리는 영감을, 시로 환원하는 언어의 마술사로 재탄생 되는 것이다. 2023년 토끼가 꼬리를 감추고, 맑고 투명한 하얀 설원의 언덕을 넘은 시인의 심성의 지평地坪에 청룡의 용틀임이 장엄하다. 2024년 새해 벽두劈頭에 맞는 시인의 용솟음은 유별나다.

-중략-
어제 건던 비탈길은/새하얀 설원으로 카펫을 깔고/첫 발자국을 기다리고 있나니/동해 바다 높은 파도 뚫/하늘 높이 승천하는/저 푸른 용을 두 팔 벌려 마중하련다.//-중략-

솟아오르는 해를 여의주로 문 푸른 용의 비상, 그 장엄한 용틀임을 대하며 시인은 해맞이 소원을 다짐한다. 길은 만들면서 가겠노라고, 비록 험하고 고독한 길이지만, 격려하는 동료 시인들과 지인들을 향해 어둠을 헤쳐 낸 자의 당당함으로 두 번째 산정에 우뚝하리라는 다짐을 옹골차게 한다.

-중략-
처음부터/나 있는 길이 어디에 있으랴/우리 함께 새길을 만들며 뛰어가리니//
먼데 종소리 크게 울려라/어둠을 헤친 붉은 해 빙그레 웃으며/비로소 용트림의 장엄한 궤적을 찍으리라//.

평을 닫으며, 동시대를 시인의 길을 함께하는 중중무진 重重無盡의 연기법에 따라 시인을 만나고, 시인의 시詩의 홀로그램을 접하고 그 발화점을 서툴게나마 만난 소중한 연緣을 감사한다.

어둠을 헤친 시인 유한권이 힘차게 울리는 종소리가 들려오는 시인의 두 번째 산정을 가늠해 보는 2024년 벽두, 청룡의 장엄한 궤적으로 찍히는 날을 기대한다. 끝

https://youtu.be/6kGGnnMNcPs?si=7_ocSV7wJBadbdKy

3.노년의 삶과 인연

'100세 시대라 하지만 인생이 얼마나 짧은지 늙어 보니 알겠더라. 젊음의 순간순간 좋은 인연 찾아 희노애락 넘다보니 어느새 백발노인이 되어있더라' 노인 두 서너 명이 모이면 푸념 아닌 푸념을 한다.

은퇴 후 못다 한 공부도 하고 여행 등 취미생활을 하거나 새로운 인연을 맺으며 사회에 봉사 활동 같은 아름다운 '인생 2막' 은 노인의 로망이다. 하지만 마음뿐 좀처럼 실현하기 힘든 한낮 꿈이기도 하다.

노인 천만 시대, 그들은 누구인가?
6.25 전쟁을 극복하면서 외국에 원조를 받아 겨우 생명을 유지하던 헐벗고 가난한 대한민국, 역사상 최단기간 내에 빈손 맨발로 세계 10대 경제 강국으로 도약 시킨 이들의 기적 같은 이야기다. 알아주는 이 없지만. .

이제는 행복한 老年, 아름답게 살다 인간답게 삶을 마무리할 수 있도록 마지막 열정에 불꽃을 지펴야 할 때라는 걸 잘 알면서도 어쩔 수 없이 세월만 보내고 있지만. .

지난해 기준으로 전국에는 서울노인복지센터를 비롯한 281개의 노인복지관이 있다. 이들 시설은 어르신들을 위해 해를 거듭 할수록 보다 풍요로운 프로그램을 개발하고 있습니다. 음악, 예술, 인문학, 언어, 운동 등 다양한 분야의 활동을 통해 노인들의 삶을 해마다 풍요롭게 만들에 제공하고 있어 퍽 다행스럽기도 합니다.

노인은 늙은 사람이고 어르신은 존경 받는 사람이라고 흔히 말한다. 그러나 신노년 시대에 들면서 “선배시민” 이라는 말이 회자된다. 예전에 하고 싶었던 취미를 스스로 찾아 열심히 배우며 사회에 봉사를 하는 신세대 모범적이며 열정적인 노인을 지칭하는 신개념 용어다.

자신을 가꾸고 젊어지려고 도전하고 노력하는 사람. 사랑과 이해와 아량을 베풀 줄 아는 사람. 사회에 봉사뿐만 아니라 주위 사람들에게도 미소와 기쁨을 주는 노인은 ‘선배 시민’ 이다.

서울노인복지센터는 일찍이 10여년전부터 노인 일자리 사업 지능 교육과 선배시민 양성 교육을 꾸준히 실시하고 있다. 제1기~ 10기까지 필자도 전임강사로 참여 하여 열정을 살렸던 기억이 생생하지만. 지금 이 순간에도 배출된 선배시민 그들은 복지센터 내에서 뿐 아니라 사회 곳곳에서 모범적인 자원봉사 활동을 열심히 지속 하고 있다.

특히 ‘조나단’ 아침에 나타나는 체조단의 활동처럼 장안에 큰 화제를 모으고 있는 동아리도 가까운 우리의 친구들이다.

이처럼 훌륭한 친구들과 어울릴 수 있는 좋은 환경 속에서 새로운 도전을 통해 새로운 노년에 보람을 찾을 수 있는 길은 많이 열려있다. 그러나 안타깝게도 아직까지 노인 복지시설을 이용하는 노인이 열 명 중 한 명꼴(이용률 8.8%)도 안 된다고 한다.

늙어 가는 것이 아니라 익어간다 라는 노랫말도 있다. 이제 빨간 열매를 맺어야 하지 않을까. 더 이상 낭비 할 시간이 없다.

어렵던 시절 외국인들이 한국인을 보고 '웃음이 없고, 유머어가 없고, 인사가 없다'며 비아냥댔다. 지금은 많이 달라졌지만. 지구촌 구석구석 한국인이 없는 곳이 없다. 어느새 우리나라는 세계인들의 눈과 입에서는 부러움의 대상이 되고 있다. 이 모두가 우리 어르신 세대가 이룩해 놓은 위대한 업적의 결과다. 하여 늙었다고 주저앉을 이유가 없다. 긍지를 품고 다시 젊었을 때의 열정으로 일어나면 어떨까 생각해본다. 한번 크게 웃으며. . .

미소는 젊음과 행복을 불러일으키는 신호다. 웃음은 문제를 풀어주는 마법과 같다. 미소는 세상에 태어나면서부터 나타나는 보석 같은 현상이라고 한다, 처음에는 젖을 먹으며 만족 해 웃기 시작한다. 점차 성장 하면서 사회적 웃음으로 발전 해 간다. 웃음은 상호간에 대화와 마음의 통로를 열어준다. 미소어린 대화는 좋은 인연을 맺고 성공적인 인간관계의 연결고리다.

노년에 새로운 인연을 맺기는 힘들지만 취미가 같고 생각이 비슷한 동년배끼리 웃음을 타고 오고가는 사랑에너지가 만드는 행복 덩이는 점점 커지면서 출발지로 다시 돌아오는 것을 '나눔의 법칙' 이라 한다.

그래서 웃음을 잉태한 사랑은 베풀면 베풀수록 커지고, 그 행복의 크기와 질도 점점 높아진다는 거다.
'생각이 바뀌면 행동이 바뀌고, 행동이 바뀌면 습관이

바뀌고, 습관이 바뀌면 인생이 바뀐다’는 것도 잘 알고 있다. 동양철학의 ‘인과응보의 법칙’도 듣기 싫을 정도로 들었다. 그렇다. 뿌린 대로 거둔다는 거다.

이 세상에는 우연한 일이란 없다. 모든 일은 자신이 뿌린 대로 거두는 법이다. 노인이라고 도전을 포기 할 필요는 없다. 우리가 이룩한 짜릿한 기적의 순간순간을 이제 되새김질 해 볼때다. 아름다운 ‘인생 2막’을 위해서다.

어르신들은 저마다 엄청난 삶의 체험과 극복과 독특한 지혜를 가지고 계시다. 망설임은 금물입니다, 아무리 달관하고 초월했다 해도 활용 할 용기와 기회를 만들지 않으면 모든 지혜는 한 방울의 거품처럼 쓸모가 없다.
말과 행동으로 실천하면 결국 새로운 목표를 달성 할 수 있다는 거다.

‘104세 철학자’김형석 연세대 명예교수의 생생한 말씀이다. “60세부터 제2의 마라톤을 시작하세요. 공부도 좋고 취미도 좋아요. 90까지는 자신을 가지고 뛰십시오. 80에 끝나더라도 할 수 없고요. 나더러 어떻게 살았느냐고 묻는다면, 고달팠지만 행복했어요, 다른 사람에게 행복을 줄 수 있어 더 행복했다고 말하겠습니다. 남을 위해 살면 더욱 행복해집니다.”

세계 역사상 최대 업적의 64%가 60세 이상의 노인들에 의하여 성취되었다는 사실입니다. 소포클레스가 ‘클로노스의 에디푸스’를 쓴 것은 80세 때였고, 괴테가 ‘파우스트’를 완성한 것도 80이 넘어서였다.

칸트는 57세에 '순수이성비판'을 발표하였고, 미켈란젤로는 로마의 성 베드로 대성전의 돔을 70세에 완성했습니다. 또 베르디, 하이든, 헨델 등도 고희의 나이를 넘어 불후의 명곡을 작곡하였다.

영국의 노인 심리학자 브롬디는 인생의 4분의 1은 성장하면서 보내고, 나머지 4분의 3은 늙어가면서 보낸다고 했다. 행복하게 늙어가는 것은 쉽지 않은 일이다. 그러나 노년기에 열정을 가지고 새로운 인연을 맺어 활동을 하면 의외로 행복도 얻고 동시에 아름답고 보람찬 업적을 남길 수 있다.

다시 생각해 본다. 죽을 때까지 삶을 지탱해 주는 것은 사랑과 일이다. 젊어서 가난을 극복하는 투사로 일을 했다면 은퇴 후에는 '자신과 이웃이 좋아하는 행복해지는 일'을 찾을 수 있다. 노년에 좋은 친구 아름다운 인연을 맺어 크게 웃으며 살기를 기원 하면서. . .

노인 일자리사업 직무교육 전임강사(2010)

4.어떤 혈투

장 닭 울음소리가 새벽잠을 깨운다.
사랑방 문풍지가 초가을 바람에 흔들리고
쿨럭 쿨럭 노인장의 헛기침 소리가 들린다.

건넌방 미닫이문이 스르르 열리더니
꼬마 녀석이 눈을 부비며
엉거주춤 마당으로 뛰어 나간다.
뒤가 급한 모양이다.

으악! !
갑작스런 비명소리와 함께
자지러지는 울음소리 새벽을 뒤흔든다.

겁에 질린 꼬마 녀석이
오물로 범벅이 된 바지를 움켜쥐고
성난 큰 수 닭과 쫓고 쫓기는 싸움이 벌어지고 있다.

찢어지는 울음소리에 놀란 할아버지가
방문을 박차고 후다닥 뛰쳐나오고,
안방 건넌방 할머니 며느리가
속옷차림으로 황급히 달려 나온다.

닭장에서 졸던 암탉들도,
툇마루 황구도 놀라 뛰쳐나오고...
외양간 황소는 영문도 모르고 이리 저리 뛰고. .

할아버지는 허둥지둥 삽자루를 휘두르며,
이리 뛰고 저리 도망가고.. .
성난 수 닭과 쫓고 쫓기는 혈투를 벌인다.

오물 투성이 꼬마 녀석
엉덩이에서는 벌써 두 줄기 피가 흐르고. .

온 집안은 겁에 질려 울고불고
한바탕 벌어진 난장판에 어지럽다.

할아버지가 휘두른 둔탁한 삽자루에 맞아
수탉은 마당 한구석에 피를 흘리며 쓰러져 버렸다.
따끈따끈한 아침식사도 제대로 하지 못한 채. . .

어느새 동네 사람들은
하나둘 모여들어 수군수군 거린다.

새벽 난투극은 그렇게 끝났지만 . . .
한적한 시골마을의 하루해는 참 길게 저물어 간다.

서울노인복지센터 TOP 방송국 방송진행

5.세월호 침몰 '맹골수로' 현장 취재 일기

2014년 5월 4일 (일)
유한권 기자의 취재特報(특보)
세월호 침몰 현장 '맹골수로'를 취재하다

-2014년 4월 20일 KTV 국민기자 유한권 글-

2014년 4월 16일 오전 9시, 나는 아내와 함께 모처럼 주말여행으로 강원도 속초을 향해 신나게 달리고 있었다. 그때 핸드폰에 KTV 문자 메시지가 떴다. '진도 해상 350여명 탄 여객선 침몰 중' 인천에서 제주도로 가던 청해진해운 소속 6,800여톤급 여객선 세월호 침몰과 관련된 첫 소식을 접하는 순간이다. 불길한 예감이 번개처럼 스쳐갔다. 또 터졌구나! 분명 꿈은 아니다.

선진국진입을 눈앞에 둔 IT강국 '대한민국' 이라고 모두가 말하는데 . . . , 특히 오바마 미국 대통령의 방한을 몇 일 앞두고, 북한은 핵실험을 준비 하는데. . , 국내.외적으로 한치 앞을 볼 수 없는 엄중한 시기에 왜? 어떻게 이 엄청난 사건이 또 벌어진단 말인가. 도대체 어떤 상황이 벌어졌기에? 의문에 의문이 꼬리를 잇는다. 그러면 어떻게 대처해야 한단 말인가. 생각이 정지되고 말문이 막힌다. 주먹을 꼭 쥐며 혼자 중얼거렸다. 모두 모두 무사해야 할 텐데 . . .

다음날 새벽 각 방송국에서 시시각각 방영되는 뉴스속보를 시청하면서, 나도 모르게 불안을 넘어 점점 초조하기 시작했다. '나는 KTV 국민기자인데. 이런 큰 사고가 터지면 어떻게 해야지?' 만감이 교체한다. 아침 겸 점심식사를 하고 있던 중 핸드폰 벨 소리가 요란하게 울렸다. 나의 단짝 취재 친구이자 동료인 이00 국민기자가 숨을 몰아쉬며 말을 이어간다. '지금 즉시 진도 사고 현장엘 갈수 있겠느냐? 476명이 타고 있는 세월호 침몰 사고현장 취재가 시급하다' 는 KTV 국민기자단 김00 팀장의 전화가 있었다는 내용이다. 아무리 서두른다 해도 진도현장

도착시간이 저녁이고 보면, 취재가 어려울 것 같았다. 어쨌던 주말여행 일정을 모두 정리하고 서울로 달렸다. 그리고 사고발생 3일째 되는 마의 72시간이 넘어 가고 있는 중요한 18일 새벽, 이 기자와 함께 단숨에 진도로 달려갔다.

안개 자욱한 진도 어촌마을 팽목항에는 실종자 가족, 국내.외 취재팀과 구조단원, 경찰 그리고 각 지역에서 달려온 자원봉사자들로 발 디딜 틈도 없이 어수선하다. 경찰들은 우리 취재차량마저 막아서면서 돌아가란다. 승강이 할 시간이 없다. 할 수 없이 산을 돌아 논.밭길을 따라 질펵한 팽목항 현장엘 도착해 겨우 차를 파킹시켰다. 주섬주섬 촬영 장비를 꺼내들고 요리조리 사람들 틈새를 지나 실종자 가족들이 모여 있는 현장엘 갔다.

비탄에 잠긴 가족들의 울음과 허탈, 탄식 그리고 고성과 스피카 소리가 뒤섞인 혼잡한 현장에서 무엇을 어떻게 취재해야 할지 엄두가 안 난다. 모두가 정신이 나간 상태다. 바삐 움직이는 취재진과 자원 봉사자들의 동향을 살피며 이리저리 뛰다보니 목이 바삭바삭 타들어 올뿐이다.

어디에서부터 무엇을 어떻게 취재해야 하나? 물어볼 사람도 없다. 아무것도 생각이 안 난다. 고민을 하면서 한동안 우왕좌왕하는 사이 전화가 걸려왔다. '가족들이 묵고 있는 진도실내체육관, 구조본부 그리고 팽목항에는 현재 KTV 본부 젊은 기자들이 취재를 하고 있으니, 가능한 지역 주민들의 무사귀환을 비는 간절한 모습과 자원봉사자들의 활동 등 숨은 이야기와 표정을 찾는 것이 더 좋겠다. 특히 건강에 조심하라' 우리가 팽목항 현장에서 당황하는 모습을 훤하게 꿰뚫어 보고 있는 듯 김팀장과 김00 전문위원의 잇따른 조언과 격려전화가 힘을 보탠다.

긴박한 해상사고에 대한 취재경험이 없는데다 생전 처음 방문한 팽목항의 어수선한 주변을 돌며 마음을 정리했다. 그간의 취재 경험과 경륜을 십분 살려 이것저것 취재 소재를 찾아 카메라 앵글을 맞추기 시작했다. 취재기자들에 대해 강한 거부반응과 손 사례를 피해 조심스럽게 실종자 가족을 찾았다, 그리고 안산에서 급히 내려온 단원고 2학년 학생들의 눈물어린 인터뷰를 시도했다. 담배를 물고 하염없이 진도 앞바다만 쳐다보는 할아버지의 넋 잃은 모습에도 촟점을 맞췄다. 그리고 외국기자와 간단한 인터뷰도 했다. 어느 스님의 간절한 목탁소리는 파도를 타고 멀리멀리 퍼져나갔다. 팽목항 뒷켠 보래사장에서 '무사귀환'을 비는 애절한 가족들의 목 메인 기도 모습을 보면서, 같은 심정으로 눈물을 흘리기도 했다. 하늘이여! 저 울부짖는 우리 아이들의 소중한 생명을 구해 주소서 ! ! !

19일 새벽 벌떡 일어다 TV를 켰다. 인명 구조작업 상황은 점점 심각해지고 있었다. '이상초 기자! 오늘 구조작업 현장 취재가 가장 중요 할 것 같아! 아무래도 사고 해역을 직접 가보지 않고는, 생생한 현장 취재 의미가 없을 것 같아요. 어떻게 해서든 침몰 해역에 가서 구출작업 현장 취재를 하도록 합시다' 하며 그냥 서둘러 뛰었다.

국가적으로 위급한 큰 사건현장에 내려온 이상 어떠한 위험도 감수하고 주어진 역할을 수행하는 것이 기자로서의 도리이며 임무라고 생각했다. 서서히 KTV 국민방송 '국민기자'로서 사명감을 불태우는 순간이다. 우리는 곧바로 현장 상황실로 달려갔다. 마침 000 서해해양결찰청장 주재로 유가족 대표들과 긴급회의를 하고 있었다. 어렵게 회의장엘 부비고 들어가 정중하게 '침몰 해역 현장 취재'을 요청했다. 간절한 내 마음이 눈빛으로 전달된 것일까? 힘들게 정말 어렵게 승선 허락을 받아냈다. 김 팀장에게 긴급 현황 보고를 하고, 다른 방송사 기자들이 눈치 채지 않도록 슬그머니 발걸음을 재촉했다. 허휴~

해양경찰청 소속 경비정에 청장과 3명의 유가족대표, 잠수 구조대원, 그리고 이 기자와 나는 신속하게 승선했다. 국내외 수많은 취재진을 피해 KTV 국민기자의 단독취재 순간이다. 2m가 넘는 높은 파도를 가르며 경비정은 병풍도와 관매도 사이 맹골수로 세월호 침몰 해역으로 쏜살같이 달려갔다. 50여분 만에 도착한 맹골 수로에는 크고 작은 많은 선박과 구조보트들이 굉음을 내며 분주히 움직이고 있었다. TV를 통해 보았던 세월호 뱃머리는 이미 물속에 잠겨 끝부분만 겨우 버일 듯 말 듯 파도만 무섭게 출렁이고 있었다. 다만 멀리 3대의 대형 크레인과 조그마케 보이는 2개의 부표가 눈에 확 들어온다.

‘아! 저곳이 바로 세월호 침몰 현장이구나! “ 푸른 망망 바다 파도소리와 차가운 바닷바람 소리에 옆 사람과의 이야기도 듣기 힘들다. '저~ 차디찬 바다 속에 그 큰 배가? 아니 300명이 넘는 어린학생들이 지금 갇혀 있다고? 등골이 오싹해 온다. 두근거리는 가슴을 억제하고, 입술을 꽉 깨문 이 기자와 눈빛만으로 '생생한 취재'를 약속하며 고개를 끄덕였다.

이제 우리가 타고 온 경비정에서 빨간색 쾌속정 구명보트로 옮겨 타고, 행양경찰청 소속 현장 지휘함정까지 가야했다. 물결은 점점 사나워지고 있었다. '어떻게 하지?' 그때 젊은 해경들이 어깨를 툭치며 소리친다. "침착하세요!' 마음을 진정 시킨다. 그리고 그들의 다부진 팔로 허리를 부축 받으며 심하게 출렁 거리는 구명보트로 미끄러지듯 굴러 떨어지듯 민첩하게 옮겨 탔다. 정신없이. . 그리고 쏜살같이 현장 지휘함정까지 갔으나 더 어려운 난관이 또 기다리고 있었다.

줄사다리를 타고 함정갑판위로 기어 올라가는 것이 그리 쉬운 일은 아니다. 와! 정신이 아찔하다. 먼저 촬영 장비를 갑판위로 올려 보내고, 정말 조심조심 스릴을 느끼며 갑판위에 오르고 나서야 겨우 안도의 한숨을 몰아쉬었다. 머리가 어찔하고 두 다리가 후들후들 떨린다. 이것이 바로 취재전쟁이다. 자칫 실수라도 한다면 죽을 수도 있다. 사고현장 취재가 이렇게 위험하고 어렵다는 것을 실감하는 짜릿한 순간이다. 후 후 ~

수학여행을 떠났던 어린학생들과 일반 승객들의 생사가 촌각을 다투고 있는 구조현장에서, 한 두명의 생명이라도 구출하는 생생한 모습을 취재하여, 애타게 기다리는 실종자 가족과 슬픔에 잠긴 시청자들에게 희망의 뉴스를 들려주고 싶었다. 그러나 현장 사정은 그렇지가 않았다. 그저 멀리서 거친 파도와 사투를 벌리며 분주하게 구조작업을 하는 구조선박들의 굉음 소리와 헬기 등 긴박한 모습을 응시하는 것 외에는 어찌할 도리가 없었다.

무기력하고 초라한 내 모습이 한없이 부끄럽다. 자식의 이름을 부르며 울고 있는 가족들의 지친모습이 눈앞에 아른 거린다. 갑판 위를 이리저리 뛰며 무슨 새로운 소식이라도 듣고 싶었지만 꽉 담은 입과 무거운 얼굴로 각자의 역할만을 할뿐이다. 인터뷰마저 해 주려는 사람이 없다. 어떤 정보를 아는 사람도 없는 모두가 얼어붙은 차디찬 분위기이다. 여기저기서 들리는 고함소리와 기계소리, 그리고 원망스러운 파도소리와 잠수장비 이동하는 소리만 요란했다. 무정한 시간은 왜 그리 빨리 지나가는지 . . 긴장감속에 내 생각도 몸도 꽁꽁 얼어붙는다. 어찌할 수 없다. 그저 보이고 소리 나는 그대로 카메라 셧타를 눌러댔다. 핸드폰 밧데리까지 숨어들고 있다. 누구에게 연락할 길도 없다. 그렇다. 이 순간 이 모습 자체가 뉴스가 아닐까?

"내일 4시 KTV특보 시간에 '긴급보도'로 방송계획이 잡혔습니다. 참조 하세요' 방송본부에서 보낸 핸드폰 문자가 보인다. 이곳 해역에서는 핸드폰 연결이 무척 어렵다. 몇 번을 시도했을까? 그러나 오후 들어 바닷바람과 파도가 점점 더 거세지면서 승.하선이 불가능한 상태다. 시시각각 변하는 사나운 바다가 정말 무섭다. 그러나 취재영상과 기사를 빨리 올려야 하는데 . . . 초침이 돌수록 마음은 더욱 초조해 진다. 사람들의 하선이 너무 위험하다는 것을 간파한 함장은 결국 요트대신 함정을 팽목항 근처까지 접근 시킨 후 교체 잠수요원과 우리를 안전하게 육지로 나갈 수 있게 도왔다. 후~ 함장님 정말 고맙습니다. 꾸뻑 ! !

팽목항이 보이는 순간, 물속에 갇혀있는 아이들을 위해 어떤 도움도 주지 못하고 발길을 돌려야 하는 미안함과 죄송한 마음이 울컥 솟는다, 더욱이 '한 컷이라도 좋은 소식을 가지고 올라갔으면 . . .' 하는 안타깝고 아쉬움을 뒤로 한 채, 우리는 서둘러 서울로 서울로 쏜살같이 차를 몰아야 했다. 이 조여드는 마음 하늘이나 알까? 밤 12시까지는 올라가야 할 텐데 . .

새벽잠을 설치고 일어나 '세월호 침몰 현장을 다녀 왔습니다' 긴급 뉴스원고를 서둘러 작성하여 홈페이지에 올렸다. 김 전문위원은 잠도 안자고 기다렸다는 듯이 전화를 걸어 이것저것 현지 상황을 물어 본다, 그리고는 곧바로 '최종 데스킹' 작업을 서둘러 완료했다. 일요일 휴식도 반납하고 방송실에서 대기하고 있던 김 팀장이 뛰쳐나와 손을 꽉 잡고 '수고했다' 며 맞아준다. 이 기자와 나는 나레이션과 영상편집을 서둘러 시작했다.

취재전쟁은 맹골수로 현장에서만 있는 것이 아니었다. 모든 것이 시간과의 싸움이다. 4시 정각 KTV특보 시간이 닦아왔다. 김 앵카의 카랑카랑한 목소리가 텔레비전 화면에 울려 퍼졌다. '세월호가 침몰된 맹골수로 사고 현장에는 민.관.군 수색 작업이 계속되고 있습니다. 그 현장을 유한권 국민기자가 구조단과 동행했습니다.' 현장 모습이 담긴 영상과 함께 카랑카랑 울려 퍼지는 나의 음성이 울려 퍼지자 눈가에는 어느새 참았던 눈물이 주루룩 흘러내린다. 하늘이시여~ 저들을 구해 주소서~

https://www.ktv.go.kr/content/view?content_id=481731

KTV국민방송 유 한 권 국민기자 취재 후기

부 록

나 아직 살아
숨 쉬고 있어요.

야생화의 천국
양지바른 뒷동산
그 꽃 냄새 솔솔 풍기는
꿀벌의 속삭임을 너는 보았느냐

꿀벌의 삶이 무엇이냐고?
숨 쉬고 먹고 자고
일하고 사랑하고

세상살이 같은 삶을 살지만
혹여 다른 삶을 산다 해도
너무 애쓰지 마라.

희망을 잃지 않고
세월을 환송 할 줄 알면
영광의 꽃 시절이 아닐까.

결국 스쳐갈 것은 가고
이루어 질 아름다운 삶은
꼭 이루어진다는 거.

긴 여정 끝나는 날까지
저만 포기하지 않으면!

1.'3.1 독립운동'에서 '판문점'까지

눈물겨운 역사의 현장을 찾아 헤매며
민족의 뿌리를 캐낸 중절모 쓴
KTV 한국정책방송원
시인 시낭송가 유한권 국민기자의 생생한
애국의 목소리를 들어 보세요 ! !

시낭송가 현웅 유 한 권 애국의 소리

제암리 두렁바위 학살
https://www.ktv.go.kr/content/view?content_id=594399#

딜쿠샤 복원
https://www.ktv.go.kr/content/view?content_id=568055#

독립운동의 불씨 강화도
https://www.ktv.go.kr/content/view?content_id=469470#

독립선언서 낭독한 태화관
https://www.ktv.go.kr/content/view?content_id=550937#

3.1운동 100주년
https://www.ktv.go.kr/content/view?content_id=569352#

이달의 독립운동가
https://www.ktv.go.kr/content/view?content_id=548227#

독립운동가 문창범 선생
https://www.ktv.go.kr/content/view?content_id=515867#

순국선열의 고귀한 희생정신

https://www.ktv.go.kr/content/view?content_id=514494#

독립운동가 이 설 선생

https://www.ktv.go.kr/content/view?content_id=514494#

독립운동가 이 탁 선생

https://www.ktv.go.kr/content/view?content_id=514494#

독립운동가 이준식 선생

https://www.ktv.go.kr/content/view?content_id=511046#

독립운동가 연기우 의병장

https://www.ktv.go.kr/content/view?content_id=509903#

독립영웅들의 함성 독립군가

https://www.ktv.go.kr/content/view?content_id=509254#

독립운동가 송헌주 선생

https://www.ktv.go.kr/content/view?content_id=507896#

독립운동가 류인식 선생

https://www.ktv.go.kr/content/view?content_id=507896#

독립운동 여류투사 안경신 선생
https://www.ktv.go.kr/content/view?content_id=504802#

독립운동가 영국인'조지 루이스 쇼'
https://www.ktv.go.kr/content/view?content_id=504802#

독립운동가 박인호 선생
https://www.ktv.go.kr/content/view?content_id=502086#

안중근 의사 순국105주년
https://www.ktv.go.kr/content/view?content_id=501800#

독립운동가 이수홍 선생
https://www.ktv.go.kr/content/view?content_id=500474#

독립운동가 황상규 선생
https://www.ktv.go.kr/content/view?content_id=500474#

3.1 운동 95돌
https://www.ktv.go.kr/content/view?content_id=500474#

6.25 전쟁의 영웅들

https://www.ktv.go.kr/content/view?content_id=466022#

분단의 상징 판문점

https://www.ktv.go.kr/content/view?content_id=485654#

아름다운 여행

https://blog.naver.com/rokbigman/222884815724

2. 12 地神의 숨은 이야기

용띠

https://www.ktv.go.kr/content/view?content_id=692846#

토끼띠

https://www.ktv.go.kr/content/view?content_id=666289

호랑이띠

https://www.ktv.go.kr/content/view?content_id=640064#

소띠

https://www.ktv.go.kr/content/view?content_id=616427#

쥐띠

https://www.ktv.go.kr/content/view?content_id=590282#

돼지띠

https://www.ktv.go.kr/content/view?content_id=567580#

개띠

https://www.ktv.go.kr/content/view?content_id=547394#

닭띠

https://www.ktv.go.kr/content/view?content_id=531166#

원숭이띠

https://www.ktv.go.kr/content/view?content_id=516785#

양띠

https://www.ktv.go.kr/content/view?content_id=498339#

말띠

https://www.ktv.go.kr/content/view?content_id=476223#

뱀띠

https://www.ktv.go.kr/content/view?content_id=451117#

2010년 서울노인복지센터 인생학교

제1~10기 선배시민 교육 전임강사

3. 오래도록 기억 되는 영상

달집태우기

https://www.ktv.go.kr/content/view?content_id=456897#

백두산 호랑이 기운을 받으세요

https://www.ktv.go.kr/content/view?content_id=640064

노인 학대 점점 사회문제화

https://www.youtube.com/watch?v=Pgm-IPS_HNw

대서양 연어 양식

https://www.ktv.go.kr/content/view?content_id=619968#

화폐수출 효자상품화 대담

https://m.ktv.go.kr/program/again/view?content_id=486401

나라를 찾겠다는 '독립군가'
https://m.ktv.go.kr/program/again/view?content_id=509254

안중근 독립운동가의 애국정신
https://m.ktv.go.kr/program/again/view?content_id=502013

외국인 독립운동가 죠지루이스쇼
https://m.ktv.go.kr/program/again/view?content_id=503431

3.1운동 100주년
https://www.youtube.com/watch?v=jZRB0ZkAHdc

순국선열의 나라 사랑 정신
https://m.ktv.go.kr/program/again/view?content_id=514769

삼척 탄광지역이 유리산업으로 부상
https://m.ktv.go.kr/program/again/view?content_id=593210

돌아가는 삼각지
https://m.ktv.go.kr/program/again/view?content_id=594024

열대작물 바나나 북상중
https://m.ktv.go.kr/program/again/view?content_id=613980

건강 김치의 세계화
https://m.ktv.go.kr/program/again/view?content_id=613980

3.1운동과 딜쿠샤
https://m.ktv.go.kr/program/again/view?content_id=568055

100년 후 서울의 보물
https://m.ktv.go.kr/program/again/view?content_id=570065

한강, 시민들의 유쾌한 로망
https://youtu.be./gZDi_DOB4YA

동강 할미꽃의 신비한 자태
https://m.ktv.go.kr/program/again/view?content_id=586537

태안 반도 갯벌염전 그 맛을 찾아라
https://m.ktv.go.kr/program/again/view?content_id=586537

유전자 변형 쥐의 비밀
https://m.ktv.go.kr/program/again/view?content_id=590378

독립선언서 낭독한 태화관
https://m.ktv.go.kr/program/again/view?content_id=550937

신명나는 국악, 대를 잇는다
https://m.ktv.go.kr/program/again/view?content_id=592026

겨울왕국 알프스마을
https://m.ktv.go.kr/program/again/view?content_id=548457

"바리과" 수산물양식 수출전망 기대
https://m.ktv.go.kr/program/again/view?content_id

=515850

통영 굴 수출 길 열려
https://www.ktv.go.kr/content/view?content_id=518662

가평 포도밭에 황태덕장
https://m.ktv.go.kr/program/again/view?content_id=518752

슈퍼컴4호 가동 - 기상예보 높여
https://m.ktv.go.kr/program/again/view?content_id=518511

춘곤증 극복에 식용꽃
https://m.ktv.go.kr/program/again/view?content_id=518511

서울동물원 동물 '두바이'로 이사
https://m.ktv.go.kr/program/again/view?content_id=520013

세계최초 해저광물 채굴성공
https://m.ktv.go.kr/program/again/view?content_id=519492

세월호 침몰 맹골 수로
https://www.ktv.go.kr/content/view?content_id=481731

달 탐사 도전
https://m.ktv.go.kr/program/again/view?content_id=518999

종로통에 나타난 조나단
https://m.ktv.go.kr/program/again/view?content_id=541855

쌀 소비 대책 필요
https://www.ktv.go.kr/content/view?content_id=490730

탑골공원이 락키거리로 변신
https://m.ktv.go.kr/program/again/view?content_id=532216

가시 없는 장미 리퍼플 수출 기대
https://m.ktv.go.kr/program/again/view?content_id=531683

주산이 두뇌 건강에 큰 도움
https://m.ktv.go.kr/program/again/view?content_id=527379

공항에서 맹활약하는 마약 탐지견
https://m.ktv.go.kr/program/again/view?content_id=527379

가을 전어철 인기 최고
https://m.ktv.go.kr/program/again/view?content_id=541855

https://www.ktv.go.kr/news/latest/view?content_id=491853

6.25, 끝나지 않은 전쟁
https://www.youtube.com/channel/UCzy5YHOhyec1m6YB_fLo3nA

분단의 상징 판문점입니다
https://www.youtube.com/watch?v=tAhcxFhxtqg&t=7s

교황 순례지 관광객 인기
https://www.youtube.com/watch?v=qPhUHjRrKyo

공룡 집단 서식지 화성
https://www.youtube.com/watch?v=4CfDi3GC2Ng

노년의 삶
https://www.youtube.com/channel/UCzy5YHOhyec1m6YB_fLo3nA

깐부, 한옥마을을 찾아 간다
https://youtu.be/Cy6OvVhwlb0

원숭이의 생활모습
https://www.youtube.com/watch?v=d9qt0STAcOM

웰다잉 연극 '아름다운 여행'
https://www.youtube.com/watch?v=W6tuODsQwtw&t=110s

극지연구 30년의 현장
https://www.youtube.com/watch?v=HDr3thQZuOY

독도의 자생 식물 왕해국
https://www.ktv.go.kr/content/view?content_id=494079

울릉군 탄생 132년? ?
https://www.youtube.com/watch?v=RU1KGsaWpAA

맹인 독경을 아시나요?
https://www.youtube.com/watch?v=yZ5zfs8HGNI

철원 두루미 도래지를 가다
https://www.youtube.com/watch?v=UWqmIYKgNeI

토종닭 농장을 가다
https://www.youtube.com/watch?v=yqWlIWgDfy0

애견인구 천만 시대
https://www.ktv.go.kr/content/view?content_id=48
1774

소풍가는 날
https://youtu.be/seRtF8Z6Tnc

6.25의 영웅 8240부대를 아시나요?
https://www.youtube.com/watch?v=M6VscMRIEg4
&t=225s

서해 보물선 마도4호선
https://www.youtube.com/watch?v=suEHN_TQ9g8

너희들 효자다
https://www.youtube.com/watch?v=f-k3mE4mrc8

오뚜기 인생에 열정
https://www.youtube.com/watch?v=CNvUP5W5MD
c

코끼리 화가
https://www.youtube.com/watch?v=TVeFXdacLPs

세월호 그리고 맹골 수로 그 후
https://www.ktv.go.kr/content/view?content_id=48
1731

https://www.youtube.com/watch?v=ZuJ8spFWOa4

청송 세계빙벽 대회 성황
https://www.ktv.go.kr/content/view?content_id=476767

한국의 말 산업
https://www.ktv.go.kr/content/view?content_id=476223

곤충, 한국의 미래 산업
https://www.ktv.go.kr/content/view?content_id=464201

전통 활쏘기 경기
https://www.ktv.go.kr/content/view?content_id=461899

우리나라 전통주 세계화의 길
https://www.ktv.go.kr/content/view?content_id=460067

한국의 전통연 맥을 이어 간다
https://www.ktv.go.kr/content/view?content_id=456507

발달장애 바리스타 카페
https://www.youtube.com/watch?v=GdegulHdE70

아리모 시 낭송 힐링 콘서트
https://youtu.be/sZkFWeNWWM0

깊어가는 가을축제
https://youtu.be/DXmdGgCV1g0

아름다운 여행
https://youtu.be/W6tuODsQwtw

시향 찾아 삼천리
http://hwanghaedo.or.kr/minbo/561/HH05-561.pdf

수필의 날
https://youtu.be/GhuQ4HnpQdc

검은 호랑이 나르샤
https://www.youtube.com/watch?v=k1TI-FTmBC0&t=6s

https://youtu.be/y_5byuXeWYo?si=j4a4PECeIJlbsvrT
해

https://youtu.be/Cy6OvVhwlb0 전통한옥

https://youtu.be/vZsthJHIASw 시낭송 대상

https://blog.naver.com/rokbigman/222884815724 백세인생

https://blog.naver.com/rokbigman/222884815724
아름다운 여행 (연극)

작가의 끝말

1만 시간의 법칙!

어떤 분야의 전문가가 되려면 최소한 1만 시간 정도의 훈련이 필요하다는 법칙이다, 1993년 미국의 심리학자 앤더스 에릭슨이 발표한 논문에서 처음 등장한 개념이다. 기억력이 급격하게 쇠퇴해지는 노인이 시詩를 암송한다는 것은 정말 힘든 일이다. 허나 1만 시간의 법칙을 생각 해보면서 한번 도전하기로 결심을 했다.

처음 시를 시작한 것이 노인복지관 시 창작 교실 강의를 듣기 시작 하면서부터다. 그리고 시 낭송 동아리에 입회하여 매주 한 두 번 참석 한 것이 그 시작이다. 재미가 있었다. 그 후 "시향 찾아 삼천리" 와 "행복으로 가는 비밀통로" 2권의 시화집을 발간하면서 시와 함께 가는 노년의 길이 점점 흥미롭고 자부심을 얻게 되었다.

노년에 가장 무서운 병은 치매다. 본인 뿐 아니라 가족들에게도 엄청난 고통이 따르는 치매 방지에 뇌 훈련이 필수라고 들었다. 시 낭송이 그 대안으로 생각 되었다. 그리고 노년에 새로운 취미 활동과 한 가지 뚜렸 한 목표와 매일 할 일이 생겼다. 특히 시를 좋아 하는 새로운 젊은 친구들과 어울릴 수 있다는 거다. 시 도 쓰고 시낭송도

하며 때로는 배우고 정보 교환도 할 수 있다는 거다.

하루는 시를 공부하는 친구로부터 전국 시낭송대회 소식을 듣고 도전을 결심했다. 기왕 시낭송을 한다면 "시낭송가" 타이틀이라도 얻고 싶은 욕심이 생긴 거다. 우선 내 마음에 드는 시를 선정하고 인터넷 등을 통해 관련 정보를 수집해 익히기 시작했다. 정말 노년에 쉽지 않은 도전이었다. 그러나 미루면 기회는 더더욱 없다는 걸 알기에 도전 하기로 마음을 굳혔다.

젊었을 때 읽었던 박두진 시 '해'를 선정했다. 내가 좋아 한 익숙한 시였다. 내 취향에도 맞는 시였다. 자나 깨나 시간 나는 대로 쓰고 암기를 다시 시작 했다. 시의 시대적 배경과 단어 하나하나 내용도 면밀히 살폈다. 그리고 거울 앞에 서서 음성을 다듬고 고저장단 제스춰 감정이입까지 신경을 쓰면서. .

해도 해도 끝이 없는 연습이지만 한 달이 넘도록 시원치가 않았다. 포기 할 까도 생각했다. 어려서부터 머리 나쁘다는 말은 들어 보지 않았는데. . 방에서 옥상에서 심지어 산에서 한강 둔치에서 1만 번의 법칙을 생각하면서 반복 반복 연습을 강행했다.

시간이 흘렀다. 전국 시낭송 대회장에 들어갔다. 긴장의 연속이다. 전국에서 찾아온 1차 심사에 합격한 시낭송 참가자 25명이 저마다 대상을 꿈꾸며 차례를 기다리고 있었다. 일부 나이든 사람도 있었지만 대부분 나보다 훨씬 젊은 사람들이다. 시간이 갈수록 장내는 긴장감이 감돌고 무거웠다. 차례가 가까워졌다. 두근두근. . 드디어 무대 화면에 16번째 유한권 이름이 뜨면서 진행 아나운서의 소개 음성이 울려 퍼졌다. 떨리는 가슴을 진정 시키면서 무대에 미소를 머금고 천천히 올라가 정중히 인사를 하고.

그래, 오늘의 운명은 하늘에 맡기자. 연습 한 대로 당당하게 하자 ! ! 배경음악이 흘러나왔다. “해 박두진, 해야 솟아라 해야 솟아라 맑았게 씻은 얼굴 고운 해야 솟아라 ~ ~” 가슴을 달래며 연습한 대로 실수만 안했으면 좋겠다고 다짐하면서 따박 따박 낭송을 이어갔다. 우레 같은 박수 소리를 들으며 단상에서 내려와 내 자리로 돌아왔다. 옆자리에 사람들이 귀속 말로 “잘 하셨어요.” 격려 해준다.

하늘이시여~ ‘시낭송가 인증서’ 라도 받았으면 좋겠다. 마음을 가다듬으며 결과를 초초하게 기다리고 있었다. 피 말리는 장려상~ 동상~ 은상~ 금상~ 내 이름은 기다려도 들리지 않는다.

아~ 실망의 가냘픈 숨소리가 흘러나오는 순간. 오늘의 대상은 대상은 16번 유한권~ 울려 퍼지는 게 아닌가. 번갯불이 번쩍이는 것 같았다. 이게 꿈인가 생시인가. 멍 하니 얼음 조각이 되어 앞을 응시 하고 있었다. 그때 옆에 동료가 내 팔을 들어 올린다. “축하 해요! ! 축하 ~

대상 ~ ”   “최고령 시낭송가 탄생 ! !”

늙어 도전의 즐거움은 새로운 100세 시대를 꿈꾸는 모든 시니어들의 로망이 아닐까? 이제 결혼식 축시, 각종 모임에서 시 낭송 봉사 등 새로운 활동으로 잔잔한 노후 보람을 쌓으며 즐겁게 새로운 생활을 하고 있다. 새로운 목표도 생겼다. 한 달에 시한 수 암기하기로 결심 하면서. .

걸어 다닐 수 있는 어느 날까지 시를 쓰고 시를 낭송하면서 아름다운 황혼 길을 천천히 걸어 갈렵니다. 특히 시를 사랑하는 모든 문우님들과 함께 웃으면서. .감사합니다. 덕분입니다. 사랑합니다.

https://youtu.be/y_5byuXeWYo?si=j4a4PECeIJlbsvrT

해

박두진

해야 솟아라. 해야 솟아라.
말갛게 씻은 얼굴, 고운 해야 솟아라.
산 넘어 산 넘어서, 어둠을 살라 먹고,
산 넘어서, 밤새도록, 어둠을 살라 먹고,
이글이글 앳된 얼굴, 고운 해야 솟아라.

달밤이 싫여, 달밤이 싫여,
눈물 같은 골짜기에, 달밤이 싫여,
아무도 없는 뜰에, 달밤이 나는 싫여……
해야, 고운 해야. 늬가 오면 늬가사 오면,
나는 나는 청산이 좋아라.
훨 훨훨 깃을 치는, 청산이 좋아라.
청산이 있으면, 홀로래도 좋아라.

사슴을 따라, 사슴을 따라,
양지로 양지로, 사슴을 따라
사슴을 만나면, 사슴과 놀고,
칡범을 따라, 칡범을 따라,
칡범을 만나면, 칡범과 놀고……,

해야, 고운 해야. 해야 솟아라.
꿈이 아니래도, 너를 만나면,
꽃도 새도 짐승도, 한자리 앉아,

워어이 워어이, 모두 불러 한자리 앉아
앳되고 고운 날을 누려 보리라.
https://youtu.be/ZILilgMFOPA?si=H8BtFATPUNuu88bJ

새벽 산책길에서 . .